현모양처의 죽음

HAMISH MACBETH SERIES: DEATH OF A PERFECT WIFE

Copyright © 1988, 2008 by M. C. Beaton

All rights reserved.

Korean translation copyright © 2016 by HYUNDAE MUNHAK CO.,LTD.

Korean translation rights arranged with Lowenstein Associates, Inc.

through EYA(Eric Yang Agency).

이 책의 한국어판 저작권은 EYA(Eric Yang Agency)를 통한

Lowenstein Associates, Inc.사와의 독점계약으로 (주)현대문학이 소유합니다.

저작권법에 의하여 한국 내에서 보호를 받는 저작물이므로

무단전재 및 복제를 금합니다.

해미시
맥베스
순경
시리즈
04

현모양처의 죽음

DEATH OF A PERFECT WIFE

M. C. 비턴

전행선 옮김

H
현대문학

주요 등장인물(등장순)

해미시 맥베스 ◦ 로흐두 마을의 순경

존슨 씨 ◦ 로흐두 호텔 지배인

프리실라 할버턴스마이스 ◦ 마을 지주의 딸

트릭시 토머스 ◦ 런던에서 이주해 온 잉글랜드인 가정주부

폴 토머스 ◦ 트릭시의 남편

존 브로디 ◦ 마을 의사

앤절라 브로디 ◦ 의사 존의 아내

아치 매클레인 ◦ 마을 어부 1

웰링턴 부인 ◦ 마을 목사의 아내

존 벌링턴 ◦ 프리실라와 연애 중인 런던의 증권 중개인

피터 데이비엇 ◦ 스트래스베인 경찰서에 새로 부임한 총경

할버턴스마이스 대령 부처 ◦ 프리실라의 부모

지미 프레이저 ◦ 마을 어부 2

매클레인 부인 ◦ 아치의 아내

케네디 부인 ◦ 네 아이와 함께 로럴 민박에 투숙 중인 여인

존 파커 ◦ 로럴 민박에 투숙 중인 작가

이언 건 ◦ 자수성가한 농장주

블레어 경감 ◦ 스트래스베인 경찰서 범죄 수사부의 경감

지미 앤더슨·해리 맥내브 형사 ◦ 블레어 경감의 부하

앵거스 맥도널드 ◦ 점성술사

제1장

"내 응접실로 들어오지 않을래?"
거미가 파리에게 말했다.
"여긴 지금껏 네가 본 중에
가장 예쁜 작은 응접실이야."
메리 호윗

여느 때와 다름없이 또 하루가 밝아 왔다. 해미시 맥베스 순경은 자신의 개를 데리고 로흐두 부둣가를 천천히 거닐었다. 그는 세상 누구보다 만족스러운 남자였다. 두 주 내내 날씨는 더할 나위 없이 완벽했다.

그의 위로는 짙은 청색 하늘이, 앞으로는 북적이는 작은 항구가 펼쳐져 있었으며, 그 뒤로는 푸른 바다가, 눈이 시릴 만큼 새파란 바다가 태양이 물 표면에 닿아 반짝일 때마다 다이아몬드처럼 빛을 반사하며 일렁였다. 마을 주위로는 세상에서 가장 오래된 서덜랜드*의 높은 산들이 여유로운 햇살 속에 유순하게 솟아 있었다. 협만 맞은편에는 곧게 뻗어 올라간 키 큰 소나무들이 마련해 놓은, 시원하고 어두운 성당이라 할 만한 숲 그레이포레스트가 자리 잡고 있었다. 일찍 봉오리를 터뜨린 장미가 정원 울타리를 타고 올라 흐드러지게 피어 있었고, 스위트피는 가볍게 불어오는 산들바람 속에서 에드워드 왕조풍의 아름다움을 뽐내며 흔들렸다. 산등성이에는 헤더 종류 가운데 일찍이 6월에 꽃을 피우는 벨헤더가 산 위로 이어지는 뇌조** 사냥터의 녹갈색 위장색을 짙은 분홍색으로 물들이는 중이었다. 길가에는 스코틀랜드에서 블루벨이라 불리는 실잔대가 노란색과 자주색으로 불꽃처럼 피어올라 서로 마구 엉킨 살갈퀴와 메꽃의 새하얀 나팔 사이에서 떨고 있었다.

길을 따라 천천히 산책하던 해미시는 로흐두 마을의 노처녀 자매 제시와 네시 커리가 집 앞 작은 정원을 가꾸고 있는 모습을 발견했다. 정원은 마치 군대 연병장을 연상시켰다. 꽃들이 조개껍데기 뒤쪽에서 질서 정연하게 일렬로 피어 있었다.

"좋은 날이네요." 해미시가 산울타리 너머로 미소 지으며 말했다. 꽃밭의 김을 매던 두 자매가 허리를 펴고는 탐탁지 않

* 스코틀랜드 최북단 지방이다.
** 들꿩과의 새로, 겨울에는 순백색을, 여름에는 붉은 갈색 바탕의 빛을 띤다.

은 표정으로 맥베스 순경을 살피듯이 바라봤다.

"늘 그날이 그날이지." 네시가 까칠하게 대꾸했다. 그녀의 두꺼운 안경 위로 햇살이 반사해 반짝거렸다.

"그러니 더 좋지 않아요?" 해미시가 경쾌하게 대답했다. "범죄도 없고, 남편에게 매 맞는 아내들도 없고, 심지어 가둬 둘 주정꾼도 없이 그날이 그날인 게 얼마나 좋아요."

"그렇다면 경찰서 문을 닫아야지. 경찰서 문을 닫아야지." 용감한 개똥지빠귀처럼 무슨 말이든 늘 두 번 반복해 말하는 제시가 말했다. "사지 멀쩡한 사내가 게으르게 빈둥거리는 것만큼 부끄러운 죄악은, 그런 부끄러운 죄악은 없는 법이거든."

"맙소사, 두 분을 위해 살인 사건이라도 하나 찾아내야겠네요." 해미시가 말했다. "그렇게 되면 정말 불평거리가 생길 겁니다."

"할버턴스마이스 양이 돌아왔다는 소식이 들리던데." 제시가 심술궂은 표정으로 순경을 흘낏거리며 말했다. "런던에서 친구 몇 명을 데려와서 집에 묵고 있다고 하더군."

"여기서 지내기에 딱 좋은 시기죠." 해미시가 상냥하게 말했다. "날씨도 좋고요."

그는 미소를 짓고 모자에 손을 올려 인사를 건네고는 천천히 걸음을 옮겼다. 하지만 그곳을 벗어나자마자 그의 얼굴에서 미소가 사라졌다. 프리실라 할버턴스마이스는 해미시가 사랑하는 여인이었다. 그는 프리실라가 언제 돌아왔으며, 누구와 함께 왔는지 궁금했다. 또 언제 그녀를 볼 수 있을지 그것도 궁금했다. 마음속에 조바심이 먹구름처럼 덮이기 시작했다. 날씨가 여전히 완벽하다는 사실이 믿기지 않을 정도였다. 햇살은 여전히 밝게 내리비치고 있었고, 물개 한 마리가 고요한 물속에서 게으르게 몸을 굴리며 헤엄쳐 다녔다.

그는 다시 기운을 냈다. 공기에서 소금과 타르와 담배 냄새가 났다. 그는 커피나 한잔 얻어 마실 요량으로 로흐두 호텔 쪽을 향해 걷기 시작했다.

해미시가 안으로 들어갔을 때, 지배인 존슨 씨는 자기 사무실에 있었다. "따라 드세요." 그가 구석에 놓인 커피 추출기 쪽으로 고갯짓하며 말했다. 그리고 해미시가 커피 한 잔을 들고 와 자리 잡고 앉을 때까지 기다렸다가 말을 이었다. "월릿츠 씨 집이 팔렸어요."

해미시가 눈썹을 추켜세웠다. "그 집을 사고 싶어 할 사람이 있으리라고는 생각지도 못했어요." 월릿츠 씨의 집은 빅토리아 양식의 빌라로 해안에서 깊숙이 들어앉아 있었다. 5년 동안이나 팔리려고 내놓은 상태였고, 개보수가 절실했다.

"아주 싼값으로 사들인 것 같아요. 누가 그러는데 1만 파운드를 줬다고 하더라고요."

"누가 온다고 합니까?"

"토머스라는 잉글랜드인 부부래요. 그 사람들에 관해서는 나도 아는 게 없어요. 오늘 이사 오기로 했다더라고요. 어쩌면 당신에게 할 일이 생길지도 모르겠네요."

해미시가 씩 미소 지었다. "범죄가 일어날 걸 의미하는 거예요? 이런 날씨에는 나쁜 일이 일어나려야 일어날 수가 없어요."

"기압계가 점점 낮아지고 있잖아요."

"기압계가 날씨까지 예보하는 줄은 몰랐네요. 토멜 성에는 별일 없어요?" 해미시는 무심한 듯이 태평스럽게 물었지만, 존슨 씨는 속지 않았다. 로흐두 외곽으로 몇 킬로미터 떨어져 있는 토멜 성은 프리실라 할버턴스마이스의 집이 아니던가.

"프리실라 양이 친구 몇 명하고 집에 돌아왔다는 것 같아요." 지배인이 말했다.

해미시는 커피를 한 모금 들이켰다. "어떤 친구요?"

"슬론족*이겠죠, 뭐. 남자 둘에 여자 둘인가 봐요."

해미시는 자신이 안도감을 느끼고 있음을 깨달았다. 보아하니 커플 두 쌍 같았다. 그는 행여 프리실라가 남자 친구를 데리고 왔다는 말을 들을까 봐 겁을 잔뜩 집어먹고 있던 참이었다.

* 런던의 유행을 선도하는 10대 후반에서 20대 초반가량의 부유한 상류층 젊은이들을 가리키는 표현이다.

"그 사람들 아직 못 만나 봤어요?"

"아, 만나 봤어요. 어젯밤에 여기서 저녁 먹고 갔거든요."

해미시의 태도가 일순 굳어졌다. "아니, 딸이 동네 호텔에서 친구들 밥을 먹이게 하다니, 대령이 그들을 환영하지 않는 건가요?"

존슨 씨는 불편해 보였다. "그 사람들 벌써 성에 일주일째 머물고 있거든요." 이렇게 대답하고 나서 존슨 씨는 해미시의 실망한 눈을 마주 보지 않기 위해 천장을 올려다보았다.

해미시는 아직 다 마시지 않은 커피 잔을 책상 위에 천천히 내려놓았다. "이제 순찰하러 나가 봐야겠네요. 가자, 타우저."

커다란 잡종 개 타우저가 등을 푹 수그린 채 주인의 뒤를 따라나섰다. 털이 북슬북슬한 꼬리는 해미시의 괴로운 마음을 짐작하기라도 했는지 반쯤만 들어 올린 채였다.

해미시는 만발한 진홍색 제라늄 사이에서 햇살에 눈을 끔뻑이며 호텔 앞마당에 우두커니 섰다. 날씨가 여전히 그 어느 때보다도 눈부시게 아름답다는 사실이 너무도 이상하게 느껴졌다. 벌써 한 주나 되었다니! 그런데도 프리실라는 그를 찾아오지 않았다.

그는 경찰서로 돌아가 뒷마당의 정원을 통과해 양들이 마실 물이 충분한지 살펴보러 자신의 작은 농장으로 들어갔다. 태양이 등 뒤에서 뜨겁게 내리쬐었고, 물떼새는 헤더 관목 위에서 지저귀고 있었으며, 위로는 말똥가리 한 마리가 마치 신화 속의 이카로스처럼 태양을 향해 곧장 날아갔다.

커다란 검은 암양이 느긋하게 걸어와서 그의 손에 주둥이를 가져다 댔다. 해미시는 성에서 대체 무슨 일이 일어나고 있을지 생각하면서 무의식적으로 양을 쓰다듬어 주었다. 지난번 떠나기 전에 프리실라가 그의 게으른 야망 부족에 관해 뭔가 짓궂은 말을 몇 마디 했던 것이 떠올랐다. 확실히 그는 야망이 큰 남자는 아니었다. 그는 자신의 여유로운 삶을 즐겼고, 서부 서덜랜드를 사랑했다. 그곳의 산과 헤더 덤불을 사랑했으며, 노인들이 하는 말에 따르면 바다의 정령이 파도를 타고 망자가 바다표범의 모습으로 나타난다는 협만 너머 넓게 펼쳐진 대서양도 사랑했다.

그는 무작정 성으로 찾아가 한번 살펴본다고 해서 딱히 해가 될 만한 일은 없으리라고 생각했다.

그에게는 스트래스베인 경찰 본부에서 특전으로 지급해 준 새하얀 신형 랜드로버가 있었다. 해미시의 도움으로 살인 사건을 해결한 뒤 상당히 좋은 평판을 즐기고 있는 블레어 경감의 은총 덕분임은 의심의 여지가 없었다. 물론 해미시는 혼자 그 사건을 해결했음에도 그 천박한 블레어 형사가 그의 공을 모두 독차지하게끔 내버려 두고 있었다.

성으로 향하는 구불구불한 길은 언덕을 빙빙 감으며 위로 이어졌고, 도로가 마을에서 점점 더 높이 올라가는 동안 해미시의 심장도 하늘을 뚫고 올라가 버릴 것만 같았다. 프리실라가 왜 그를 찾아오지 않았는지를 설명해 줄 아주 간단한 해명이 있을 터였다. 프리실라의 아버지 할버턴스마이스 대령은 딸이 마을 순경과 나누는 우정을 몹시도 못마땅하게 여겼다. 그러니 보나 마나 해미시와는 연락조차도 하지 말라고 신신당부했으리라는 것이 그의 짐작이었다. 하지만 그동안 프리실라는 아무리 대령이 화를 내고 못마땅하게 생각해도 전혀 개의치 않고 그를 방문했었다. 해미시는 일부러 그런 사실을 생각지 않으려 노력했다.

성에 도착해서 그는 정문 바로 앞에 랜드로버를 주차했다. 그리고 누군가에게 목격되기 전에 성 주변을 둘러보기로 했다.

그는 천천히 차량 진입로를 걸어 올라갔다. 어디선가 함성과 웃음소리가 들려왔다. 차량 진입로를 따라 계속 올라가면 집 앞 잔디밭으로 가게 될 게 뻔했기에, 해미시는 소리가 나는 쪽으로 가기 위해 급하게 옆으로 벗어나 소나무 숲속으로 뛰어 들어가서 사람들에게 들키지 않고 시야를 확보할 수 있는 곳까지 솔잎을 밟으며 조용히 앞으로 걸어갔다.

프리실라와 친구들이 크로케를 하고 있었다. 처음에 그의 눈은 오직 프리실라만을 좇았다. 그녀가 크로케 라켓 위로 몸을 구부리자 개나리 같은 금발 머리가 얼굴로 쏟아져 내렸다.

프리실라는 아무 장식도 없는 하얀 블라우스에 면 소재의 진홍색 미니스커트를 입고, 얇은 끈이 달린 굽 낮은 갈색 샌들 차림이었다. 그러다가 잠시 후 해미시의 관심은 한 남자 쪽으로 옮겨 갔다. 남자는 프리실라의 곁으로 다가가더니 라켓 사용법을 알려 주기 위해 그녀의 어깨에 팔을 둘렀다. 남자는 키가 크고 검은 곱슬머리였으며, 잘생긴 얼굴에 깔끔하게 면도한 턱은 푸르스름했다. 줄무늬 셔츠를 입은 그의 드러난 목선을 검은 곱슬머리가 덮고 있었다. 위로 걷어붙인 셔츠 소매 아래쪽으로 건강하게 그을린 강인한 팔이 드러나 보였고 그 위를 검은 털이 뒤덮었다.

프리실라 외에 두 명의 여자가 더 있었는데, 둘 다 부유한 첼시 원숭이 상이었고, 머리는 꽤 신경 써서 손질한 듯했다. 옷은 모두 평상복 차림이었다. 다른 남자 한 명은 금테 안경을 낀 토끼 상이었다.

그때, 해미시가 지켜보는 동안, 프리실라가 검은 머리 남자에게 미소를 지어 보였다. 지극히 밝고 행복한 미소였다. 해미시는 가슴이 얼어붙는 것 같았다. 그의 마음에 드리운 먹구름이 점점 짙어졌다. 프리실라 할버턴스마이스가 저 털 많은 유인원, 네안데르탈인과 사랑에 빠진 것이다. 해미시가 느끼는 고통은 날카롭고 극심했다. 갑자기 프리실라의 얼굴에서 미소가 사라졌다. 그리고 그녀가 주변을 둘러보다가 소나무 숲

쪽을 바라봤다.

해미시는 조용히 그곳을 빠져나왔다. 멍한 기분이었다. 랜
드로버를 세워 놓은 곳으로 걸어가는 동안 비참함이 그의 양
쪽 발에 진흙처럼 들러붙어 떨어지지 않았다.

그는 술에 잔뜩 취한 채 정신을 차리려 애쓰는 사람처럼 매
우 조심스럽게 로흐두로 운전해 갔다. 가는 길에 그는 월릿츠
씨 집 바깥에 먼지 낀 대형 이삿짐 밴이 서 있는 것을 목격했다.

집으로 돌아가 혼자 궁상맞게 이 생각 저 생각 하며 앉아 있
는 것보다는 훨씬 낫겠다는 판단에 해미시는 그 집 쪽으로 곧
장 운전해 가서 이삿짐 밴 옆에 차를 세웠다. 키가 큰 부부 한
쌍이 짐을 내리는 중이었다. 여자는 우아했고, 남자는 커다란
덩치에 다소 둔해 보였다.

"좀 도와 드릴까요? 이 마을 순경 해미시 맥베스라고 합니다."

여자가 손을 바지에 문지르더니 그의 앞으로 내밀었다. "트
릭시 토머스예요. 그리고 이쪽은 제 남편 폴이고요."

그녀는 거의 해미시만큼이나 키가 컸다. 긴 갈색 곱슬머리
가 자연스럽게 어깨로 흘러내려 있고, 커다란 두 눈은 갈색이
었는데 흰자위는 다소 푸른 기를 띠고 있었다. 입술은 가늘었
고, 치아는 약간 돌출되었지만 미소 지을 때 보니 백옥 같았
다. 해미시는 그녀가 마흔다섯 정도 됐으리라 짐작했다. 곰처
럼 덩치가 커다란 남편은 최근에 극심한 다이어트라도 한 사

람처럼 얼굴이 어릿광대의 쭈글쭈글한 분장을 떠올리게 했다. 피부는 더 뚱뚱한 체격에 덮어씌우기 위해 만들어 놓기라도 한 것처럼 축 늘어졌다. 눈은 작고 눈동자는 검은색이었으며, 입은 크고 코는 눌려 있었다.

"두 분이 다 할 수 있겠어요?" 해미시가 물었다.

"그러려고 애쓰는 중이에요." 트릭시가 한숨을 쉬었다. "그런데 너무 덥네요. 이삿짐 기사까지 부를 여력이 안 돼서 차량만 빌렸어요. 그러니…… 어찌 됐든 둘이서 끝을 봐야겠죠."

그녀가 눈을 크게 뜨고 입을 쩍 벌리더니 양손을 흔들어 어쩔 수 없지 않겠느냐는 몸짓을 취해 보였다.

"내가 좀 도와 드릴게요." 해미시가 말했다. 그가 모자를 벗고 푸른색 정복 셔츠 소매를 말아 올렸다.

"어머, 정말 그래 주실래요?" 트릭시가 크게 숨을 내쉬었다. "가여운 폴은 정말 속수무책이에요." 약간 징징대는 듯한 런던 방언을 사용하는 그녀의 말투는 숨을 헐떡이는 느낌을 주었다.

해미시는 아내가 자신을 속수무책이라고 묘사하는 것을 남편 폴이 어떻게 받아들이는지 보려고 그를 흘깃 바라봤지만, 그 거구의 남자는 사람 좋은 미소만 짓고 있었다.

해미시는 마음속의 괴로움을 잊고 뭔가 집중할 일이 생겼다는 사실에 고마움을 느끼며 열심히 짐을 날랐다. 그와 폴은 가구와 장식품과 책들을 옮겨다 놓았고, 그동안 트릭시는 집 안을 돌아다니며 물건을 놓아둘 자리를 정해 주었다.

"가구가 좀 더 필요할 것 같아요." 그녀가 말했다. "우린 둘 다 실업수당을 받는 중이라 이곳에서 민박을 운영해 볼 생각 이거든요."

"그렇군요. 서두르면 7~8월에는 관광객을 받을 수 있을 겁 니다." 해미시가 말했다. "그리고 중고 가구 같은 걸 사들이려 면 올니스에 좋은 곳이 있어요. 여기서 조금만 운전해 가면 되 는데……"

트릭시의 입이 다시 힘없이 벌어졌다. "가구를 살 만한 돈 이 한 푼도 남지 않았어요. 그래서 동네 분들이 혹시 더는 필 요 없어서 내다 버리려고 생각하는 물건이 있으면 얻어 볼까 기대하고 있거든요."

"나한테도 뭔가 있기는 할 겁니다. 그것도 드릴게요." 해미 시가 말했다. "짐 다 옮기고 나면 경찰서로 오세요. 요기할 만 한 걸 만들어 드리죠."

해미시는 이 말이 입에서 떨어지자마자 그들을 초대한 것 을 후회했다. 그는 절대로 허영기 많은 사람이 아니었지만, 왠 지 트릭시가 자신에게 추파를 던지는 것 같다는 느낌을 받았 다. 그녀는 마치 우연인 듯이 그에게 몸을 슬쩍 부딪쳐 오거나 아주 천천히 미소를 지어 보이는 등 상당히 유혹적인 매력을 발산했다.

그들 부부가 경찰서에 도착했을 때 해미시는 전보다 훨씬 크게 자신의 초대를 후회했다. 그가 부엌에서 요리하는 동안 트릭시는 허락도 받지 않고 방들을 이리저리 돌아다녔다. 그리고 다시 돌아왔을 때 그녀의 얼굴은 살짝 상기되고, 눈은 왕방울만 하게 커져 있었다.

"내가 보니 경관님은 벽난로를 사용하지 않으시는 것 같네요. 그런데 집에 낡은 석탄 통이 있더라고요. 우리는 석탄 통이 없거든요." 그녀가 안타깝다는 듯이 미소 지었다. "그걸 살 만한 여유가 없어서요."

그 석탄 통은 해미시의 친척 아주머니 한 분이 주신 물건이었다. 18세기에 만든 골동품으로 법랑 재질의 패널이 붙어 있었고, 해미시가 무척이나 아끼는 것이었다. 트릭시의 눈이 마치 그를 집어삼키기라도 할 듯이 바라보고 있었기에, 해미시는 고개를 저으며 안 된다고 말하기 위해 엄청난 용기를 끌어내야 했다.

"아니요, 그건 겨우내 사용하는 물건입니다. 설마 내가 이 불볕더위에 불을 지피고 살겠어요."

이제 트릭시는 부엌 선반에 놓인 물건들을 살펴보고 있었다. 그녀가 집에서 만든 잼 항아리를 집어 내리더니 내용물이 무엇인지 적어 붙여 놓은 라벨을 자세히 들여다봤다.

"딸기 잼이에요! 봐요, 폴. 게다가 집에서 만든 거예요. 난 집에서 만든 잼 정말 좋아하는데."

"이따가 갈 때 가져가세요." 해미시가 말했다.

트릭시가 양팔을 활짝 벌리더니 그를 와락 껴안았다. "이 사람 정말 사랑스럽지 않아요?"

해미시는 여자의 품에서 빠져나와 부엌 식탁에 식사를 차렸다.

그는 트릭시가 싫어지기 시작했는데, 그 싫은 강도가 너무 심해서 스스로 의아할 정도였다. 해미시는 폴에게로 관심을 돌렸다. 그 거구의 남자는 자기 부부가 대도시의 생존경쟁에서 벗어나기로 마음먹고 북쪽의 고지로 오게 됐으며, 이곳에서 민박 투숙객을 받으며 생계를 이어 나갈 계획이라고 말했다.

"집에 손봐야 할 게 무척 많아요." 폴이 말했다. "그렇지만 그다지 오래 걸리지는 않을 겁니다. 집수리를 끝내고 나면 판매용 채소 농원을 경작해 볼까 생각 중입니다. 정원이 꽤 크게 형성돼 있더라고요."

"문제는," 해미시가 트릭시의 다리를 피하려고 자신의 긴 다리를 한쪽으로 움직이며 말했다. 그녀는 자기 다리를 계속해서 해미시의 다리에 대고 눌러 왔다. "지난해까지는 여름 날씨가 그다지 좋지 않아서 사람들이 해외로 휴가 여행을 떠났다는 겁니다. 당연히 공항이 얼마나 북새통이었겠어요. 그래

18

서인지 뉴스를 들어 보니 사람들이 다시 영국에서 휴가를 보내기 시작했다고 하더라고요. 그러니 두 분은 운이 좋을지도 모릅니다."

"우린 《글래스고 헤럴드》와 《스코츠맨》에 7월과 8월에 민박을 한다는 광고도 냈어요." 트릭시가 말했다.

해미시는 돈이 없다고 앓는 소리를 해 대는 부부가 어떻게 광고까지 할 돈을 구했을지 이상하다는 생각이 들었다. 그리고 지금은 벌써 6월 말이었다. 그러니 둘이 어지간히 열심히 일하지 않고서는 제때 손님을 받을 수 있게 준비하기 힘들 것 같았다.

그들이 돌아가기 위해 일어섰을 때, 트릭시가 말했다. "귀찮게 굴고 싶지는 않지만, 혹시 가구 중에 아무거라도 버리는 거나 안 쓰시는 게 있으면……? 내 말은 어쨌든 여기 있는 물건은 모두 정부에서 경비를 대는 거잖아요."

"오직 책상하고 의자, 파일 캐비닛, 그리고 사무실에 있는 전화만 경찰에서 제공하는 겁니다." 해미시가 말했다. "여기 주거 공간에 있는 건 전부 내가 마련한 거예요. 지금은 방마다 둘러볼 시간이 없지만, 혹시라도 뭔가 드릴 만한 걸 찾게 되면 알려 드릴게요."

안도감을 느끼며, 그는 두 사람을 밖으로 안내했다. 그들이 집으로 돌아가는 모습을 지켜보고 서 있는 동안 그는 날씨가 변했다는 사실을 깨닫고는 상당히 놀랐다. 공기는 축축했고, 옅은 구름이 태양을 덮고 있었다. 해미시는 천천히 경찰서 앞으로 돌아가서 호수 쪽으로 걷기 시작했다.

비구름이 축축한 바람에 실려 바다에서부터 내륙으로 밀려들고 있었다. 검은빛으로 반짝이며 일렁이는 해수면 위로 먹구름이 긴 꼬리를 늘어뜨렸다.

곧이어 스코틀랜드의 악명 높은 모기떼, 고지의 골칫거리인 각다귀들이 내려왔다. 기나긴 건기에는 다행히도 찾아볼 수 없던 녀석들이었다. 이제 그 녀석들이 구름과 함께 내려와 그의 눈과 귀로 마구 달려들었다. 해미시는 저주의 말을 내뱉으며 부엌으로 다시 달려 들어가 문을 닫았다.

여유로운 시절은 끝나 버렸다. 날씨는 형편없어졌고, 프리실라는 남자와 함께 돌아왔으며, 부부 한 쌍이 불편하고 골치 아픈 문제들을 일으킬 듯한 분위기를 잔뜩 풍기며 로흐두로 이사를 왔다.

그날 저녁, 브로디 선생은 스테이크와 감자튀김으로 차린 거나한 저녁을 들기 위해 자리에 앉았다. 그와 아내는 부엌의 원형 식탁에서 식사를 했다. 브로디 선생은 그 식탁이 깨끗하게 치워진 모습을 보는 것은 이미 오래전에 포기해 버린 참이었다. 그의 접시 주위에는 책과 잡지와 테이프와 답장을 하지 않은 편지들이 어지럽게 널려 있었다. 앞에 놓인 과일 그릇에는 클립과 머리핀과 스크루드라이버 두 개, 짜서 쓰는 풀 하나, 그리고 시든 오렌지 한 알이 담겨 있었다.

아내는 와인병에 책 한 권을 펼쳐 기대 놓은 채 그의 맞은편에 앉아 있었다. 브로디 선생은 애정 어린 시선으로 아내를 가만히 바라봤다. 그녀는 여위고 지적인 얼굴에 눈은 커다랗고 갈색이었다. 아기의 머리칼만큼이나 가느다랗고 성긴 금발 머리가 얼굴 위로 흘러내리자 아내는 석탄이 묻은 손을 들어 올려 머리칼을 쓸어 넘겼다. 브로디 선생은 매우 만족스러운 삶을 살고 있었다. 그는 마을에서 소박하게 운영하는 병원 일을 즐겼다. 또한 가끔은 아내 앤절라가 지금보다 조금만 더 부지런한 가정주부라면 얼마나 좋을까 바라기도 했지만, 그래도 이제는 지지분하고 여기저기 물건이 쌓여 있는 집 안 분위기에 익숙해진 지 오래였다. 앤절라가 키우는 스패니얼 두 마리는 식탁 아래서 코를 골며 자고 있었고, 고양이는 식탁 위를 걸어 다니는 중이었다.

"고양이가 방금 당신 접시 위로 걸어갔어요." 의사 선생이 말했다.

"어머, 그랬어요? 저리 가!" 앤절라가 무심하게 한 손을 저으며 말하고는 책을 한 장 더 넘겼다.

"윌릿츠 가족이 살던 집에 새로운 주인이 이사 왔어요." 의사가 스테이크 위에는 갈색 소스를 얹고, 감자튀김에는 케첩을 뿌리며 말했다. 그가 와인병을 끌어당겨서 자신의 잔에 와인을 따랐다. 앤절라의 책이 옆으로 넘어졌다.

"윌릿츠 가족이 살던 집에 새로운 주인이 이사 왔다고요." 남편이 했던 말을 반복했다.

아내의 꿈꾸는 듯한 두 눈이 그에게로 초점을 옮겨 왔다. "그럼 내일 찾아가서 환영 인사를 해야겠네요. 케이크라도 구워다 줘야겠어요."

"당신이 뭘 한다고요? 케이크를 구워 본 적이 있기는 해요?"

앤절라가 한숨을 쉬었다. "내가 솜씨 좋은 가정주부가 아니라는 건 나도 알아요. 그렇지만 이번에는 제대로 해낼 테니 두고 봐요. 실은 케이크 혼합 재료를 한 상자 사다 놨거든요. 그러니 적혀 있는 지시사항대로만 하면 돼요."

"알아서 하구려. 프리실라 할버턴스마이스 양이 아버지의 처방전을 받아 가려고 병원에 왔었어요. 그러고는 곧장 운전해서 돌아가더군요."

"그게 뭐 어때서요?"

"여기 온 지 벌써 한 주나 됐잖아요. 그런데 아직 경찰서에 한 번도 들르지 않았대요."

"가여운 해미시. 대체 왜 프리실라에게 목을 맬까요? 그도 매력적인 사람인데."

"프리실라가 워낙에 예쁘잖아요."

"맞아요, 정말 예쁘기는 해요." 앤절라의 목소리에는 시기심의 흔적 같은 것은 전혀 묻어나지 않았다. "아무래도 해미시에게도 케이크를 하나 구워다 줘야겠어요."

"조리기 위에 소화기 가져다 두는 거 잊지 말아요." 남편이 경고했다. "지난번에 잼 만들려고 하다가 전부 다 태워 버렸던 거 기억하죠?"

"그런 일은 다시 없을 거예요." 앤절라가 말했다. "그때는 내가 뭔가에 정신이 팔렸던 게 틀림없어요."

그녀가 자리에서 일어나 냉장고 문을 열더니 그날 빵집에서 사 온 후식을 담아 놓은 유리 접시 두 개를 꺼냈다. 후식은 부드러운 커스터드로 붉은색 잼과 크림 비슷한 것이 얹혀 있었다. 의사 선생은 즐겁게 후식을 먹고 키안티 와인으로 입을 행구었다. 그리고 담배에 불을 붙였다.

그는 50대에 늘씬하고 말쑥하며 체구가 작은 대머리 남자였다. 눈은 푸른색이고 얼굴에는 주근깨가 점점이 박혀 있었으며, 허름한 트위드 재킷을 여름, 겨울 가리지 않고 사철 내내 입고 다녔다.

저녁 식사 후에 부부는 거실로 옮겨 갔고, 그동안 고양이는 지저분한 접시를 쿵쿵대며 부엌 식탁 위를 어슬렁거리며 걸어 다녔다.

벽난로의 불은 꺼져 있었다. 앤절라는 벽난로에 재가 산더미처럼 쌓여서 더는 불을 붙일 수 없을 정도가 되기 전에는 절대로 재를 긁어내는 법이 없었다. 그녀가 벽난로 앞에 무릎을 꿇고 앉아서 삽으로 회색 재를 퍼내 양동이로 옮겨 담았다.

"재는 뭐하러 퍼내요?" 의사가 말했다. "그냥 전기난로를 켜면 될 텐데."

"좋은 생각이에요." 그녀가 벽난로 주변에 온통 재를 흩뿌려 놓은 채 자리에서 일어나 전기난로의 플러그를 꽂고 스위치를 올렸다. 따뜻한 날씨에도 불구하고 그들의 집은 늘 추웠다. 벽도 두껍고 바닥도 돌로 되어 있는 오래된 집이라 그랬다. 앤절라는 다시 식탁으로 가서 무심히 고양이를 쓰다듬어 주고 책을 집어 든 후 거실로 돌아와서 다시 읽기 시작했다.

브로디 선생은 아내의 지저분한 살림 솜씨에도 그럭저럭 견디며 사는 법을 터득하고 있었다. 따라서 오히려 앤절라가 자신의 살림 솜씨를 더는 견딜 수 없을 것 같다고 이따금씩 느낀다는 사실을 알게 된다면 놀라 쓰러질지도 몰랐다.

이따금씩 앤절라는 이제 작심하고 대대적으로 집 안 청소를 한번 해야 하는 게 아닐까 생각했지만, 그런 생각을 할 때마다 잿빛 우울이 머리 위로 내려앉는 듯한 기분이 들었다. 언젠가 한번은 기분 전환 삼아서 여성 잡지를 읽어 봤지만, 이제는 아예 잡지를 쳐다볼 자신조차도 없었다. 완벽한 부엌과 하늘거리는 레이스 커튼이 반짝이는 사진들은 그녀 스스로를 거의 절망적으로 무능한 주부처럼 느끼게 했다.

그러나 다음 날 아침, 기름에 튀긴 블랙 푸딩과 해기스, 베이컨, 소시지, 튀긴 빵, 달걀 두 개로 남편의 아침을 차려 주고 난 후 그녀는 가슴이 벅차오르는 기분을 느꼈다. 이제 그녀에게도 '할 일'이 생기지 않았는가. 앤절라는 현모양처라면 당연히 해야 할 일을 하리라 다짐하고는 케이크를 구워 새로운 이웃에게 가져다주기로 마음먹었다.

자리를 잡고 앉아 '조지프의 케이크 혼합 재료' 상자 뒷면에 적힌 조리법을 읽어 보기 시작했을 때, 앤절라는 강한 분노의 감정이 밀려드는 것을 느껴야 했다. 바로 조리할 수 있게 재료를 혼합해 놓은 것이라면서 대체 왜 달걀과 우유와 소금과 이런저런 재료들을 또 넣으라고 하는 것일까? 이미 그런 재료들은 상자 안에 다 들어 있어야 하는 것 아닌가?

앤절라는 주석 재질의 케이크 틀을 찾으려고 이리저리 돌아다니다가 개들이 그 틀을 물그릇으로 사용하고 있다는 사실을 기억해 냈다. 그녀는 케이크 틀에 들어 있는 물을 쏟아 버리고, 대신 수프 그릇에 물을 담아 개에게 주었다. 그리고 종이 수건으로 케이크 틀을 닦고 기름칠을 한 다음 조리에 착수했다.

그날 오후 앤절라는 매우 뿌듯한 마음으로 윌릿츠 씨 집으로, 아니, 이제는 토머스 부부의 집이 된 곳으로 출발했다. 크림으로 속을 채운 스펀지케이크는 쿠션 위에 얹힌 왕관이라도 되는 듯이 가슴 앞에 받쳐 들고 걸어갔다.

윌릿츠 씨가 살던 그 오래된 빅토리아 양식의 빌라에서는 다양한 활동이 벌어지고 있는 듯했다. 마을 어부 중의 한 명인 아치 매클레인 씨가 작은 탁자를 운반하고 있었고, 목사의 아내 웰링턴 부인이 창문을 닦았으며, 소작농 버트 후크 씨는 지붕 위에 올라가 홈통을 청소하는 중이었다.

정문은 열려 있었기에 앤절라는 안으로 걸어 들어갔다. 키 큰 여성 한 명이 곁으로 다가왔다. "저는 트릭시 토머스라고 해요." 그녀가 말했다. "어머, 정말 근사한 케이크네요. 저희는 케이크라면 사족을 못 써요. 그렇지만 둘 다 실직 상태인 데다가 정부 지원금으로 살아가고 있어서 이런 사치스러운 음식은 꿈도 못 꾸고 있죠."

앤절라는 자신을 소개하고, 트릭시가 "그렇지 않아도 이제 막 커피를 한 잔씩 마시고 하려던 참이거든요. 그러니 케이크도 지금 먹으면 되겠어요"라고 말했을 때는 자랑스러움으로 가슴이 터질 것만 같은 기분을 느꼈다.

그녀는 부엌으로 트릭시를 따라 들어갔다. 안주인의 남편 폴은 벽을 닦고 있었다. "저이가 그나마 할 수 있는 일이라고는 저것밖에 없네요." 트릭시가 혼잣말을 하듯이 유감스럽다는 투로 말했다. 그러고는 목소리를 높여 다시 말했다. "여보, 여기 의사 선생님 부인이 근사한 케이크를 가지고 오셨어요. 이제 좀 쉬면서 커피 한 잔씩 해요. 앉으세요, 앤절라."

앤절라는 밝은 빨강과 흰색 격자무늬 깅엄 식탁보가 덮인 탁자에 앉았다. 금파리들이 창문가에서 윙윙대고 있었다. "파리약 스프레이를 하나 사셔야겠어요." 앤절라가 말했다. "오늘따라 파리 떼가 유난히 극성이네요."

"이미 오존층이 너무 많이 파괴됐다는 생각이 들어서요." 트릭시가 말했다. "난 그냥 옛날식대로 파리 끈끈이나 몇 장 사다 놓을 생각이에요."

트릭시는 신상품처럼 보이는 커피 추출기로 커피를 내렸다. "나는 원두도 직접 갈아서 마셔요." 그녀가 어깨 너머로 말했다. 폴은 이미 식탁에 앉아 탐욕스러운 어린아이처럼 케이크를 들여다보고 있었다. "자, 당신은 아주 조금만 먹어야 해요." 그의 아내가 경고했다. "지금 살 빼는 중이잖아요."

앤절라는 감탄하는 시선으로 트릭시를 바라봤다. 그녀는 청바지에 운동화를 신고 커다란 주머니가 달린 흰색 리넨 셔츠를 길게 늘어뜨려 입고 있었다. 트릭시의 운동화는 잔디 얼룩조차 묻어 있지 않은 거의 눈처럼 새하얀 색이었다. 앤절라는 비참한 기분으로 자신의 구겨진 블라우스를 아래로 잡아

당겼다. 구김 때문에 블라우스는 펑퍼짐한 치마 허리띠 윗부분까지 올라가 있었고 꼬질꼬질하고 지저분해 보였다.

"자, 이제 케이크를 자를게요." 트릭시가 칼을 가져와서 말했다. 폴은 식탁 위로 몸을 기울인 채 애타게 기다리고 있었다.

칼이 케이크 속으로 푹 잠겨 들어갔다. 트릭시가 케이크 한 조각을 들어 올렸다. 가운데가 설익어서 노란색 반죽이 흘러내렸다.

"어머, 어쩌지." 앤절라가 당황하며 말했다. "이래서는 먹을 수가 없겠어요. 대체 왜 이렇게 됐는지 알 수가 없네요. 포장지에 적힌 조리법대로 신중하게 따라 했는데."

"괜찮아요." 폴이 재빨리 말했다. "내가 먹을게요."

"아니요, 안 돼요." 트릭시가 앤절라에게 '남자들이란!'이라고 말하는 듯한 공모의 미소를 지어 보이며 말했다.

"난 정말 가망이 없어요." 앤절라가 끙 소리를 내며 말했다.

"걱정하지 마세요. 내가 가르쳐 드릴게요. 케이크 만드는 거 별거 아니에요. 혼합 재료를 사서 만드는 것만큼이나 쉬워요. 그리고 이렇게 케이크를 구워 올 생각을 하시다니 정말 자상하신 분 같아요." 트릭시가 남편의 손이 미치지 않는 곳으로 케이크 접시를 치워 버렸다. 폴이 한숨을 쉬고는 느릿느릿 일어나서 다시 하던 일로 돌아갔다.

"난 뭘 제대로 하는 게 없어요." 앤절라가 말했다. "집안일

하는 데는 정말 말 그대로 무용지물이라니까요. 쓰레기통이나 다름없어요."

"오븐에서 너무 빨리 꺼내서 그럴 거예요." 트릭시가 재빨리 동정의 시선을 보내며 말했다. "집안일을 도울 사람을 구하면 어때요?"

"아, 그럴 수가 없어요. 잘 모르시겠지만, 집이 완전히 엉망이거든요. 집안일 도울 사람을 구하기 전에 내가 미리 정리라도 해 놓아야 일하러 오는 사람도 자기가 무슨 일을 하고 있는지 알 수 있을 거라고요."

"내가 도와줄게요." 트릭시가 앤절라에게 미소 지었다. "우린 좋은 친구가 될 것 같은 느낌이 드는걸요."

앤절라의 얼굴에 다시 화색이 돌았다. 그녀는 만족스러운 표정이 얼굴에 너무 노골적으로 드러나는 것이 당황스러워 살짝 고개를 돌렸다. 앤절라는 마을 여자들과 잘 어울리지 못했다. 실은 살림을 너무 지저분하게 하는 것에 대한 자의식 때문에 아무와도 친하게 지내지 않았다. "당신이 내 일을 대신하게 할 수는 없어요, 트릭시." 이렇게 말하며 앤절라는 자신이 상당히 현대적이고 대담한 사람인 듯한 기분이 들었다. 이유인즉슨, 마을 사람들은 대부분 누구누구 씨, 누구누구 부인 등으로 서로를 이름이 아닌 성으로 부르고 있기 때문이었다. 그러다가 몇 년 정도 알고 지낸 사이가 되면 그제야 이름을 불렀다.

"그럼 내가 거래를 제안할게요." 트릭시가 말했다. "내가 앤절라의 집에 함께 갈 테니까, 혹시 집에서 더는 안 써서 내다 버릴까 생각하고 있던 물건이 있으면 날 주세요. 그럼 그걸로 청소해 주는 대가를 받은 거로 하면 되잖아요."

"좋은 생각이에요." 앤절라는 어른들이 돌봐 주던 어린 시절 이래로 한 번도 경험하지 못했던 편안한 기분을 느끼며 대답했다.

하지만 집으로 걸어가는 동안, 그녀는 트릭시를 집으로 오게 하는 게 아니었다고 후회하기 시작했다. 어젯밤에 벽난로 주변에 흩뿌려진 재가 카펫 위에 그대로 남아 있던 것도 기억이 났고, 부엌에 있는 온갖 지저분하고 끈적끈적한 집기들도 떠올랐다.

앤절라는 소매를 걷어붙이고 성큼성큼 집 안으로 걸어 들어갔다. 그녀는 아래층에서 이 방 저 방 둘러보고는 씩씩하게 말했다. "그럼 이제 쓸데없는 생각은 하지 말고 무조건 청소를 시작하는 수밖에 없겠네요."

그러자 트릭시가 일을 시작했다. 그녀의 손이 이리저리 흘러가듯이 움직였다. 트릭시는 놀랄 만큼 능률적이었다. 끈적거리던 기름기가 사라지고 여기저기 표면이 반짝이기 시작했고, 책들은 책장으로 자리를 찾아 들어갔다. 앤절라가 보기에는 마법이나 다름없었다. 마치 메리 포핀스가 나타나 일을 하는 것을 지켜보는 듯한 기분이었다. 그녀는 지시만 내리면 무엇이든 척척, 쾌활하게 일을 해내는 자신의 새로운 멘토 뒤에서 이리저리 서성대기만 했다. 집은 마치 그녀가 아닌 트릭시의 집 같았다.

"자, 일단 시작은 했네요." 마침내 트릭시가 말했다.

"시작이오!" 앤절라가 놀라서 소리 질렀다. "여기가 이렇게 깨끗했던 적은 한 번도 없었어요. 대체 어떻게 고마워해야 할지도 모르겠네요."

"집에 더는 사용하지 않는 오래된 가구가 있지 않나요?"

"물론 있죠." 앤절라는 그녀를 무기력하게 바라봤다. "어딘가 분명히 있을 거예요."

"거실 구석에 놓인 저 낡은 의자는 어때요?"

"저거 말인가요?" 그것은 손바느질로 일일이 구슬 장식을 꿰매 넣은 덮개가 씌워진 안락의자였다.

앤절라는 잠시 주저했다. 그 의자는 할머니가 물려주신 것이었지만 사실 아무도 사용하지 않았고, 지금 눈앞에 서 있는 이 청소의 여신에게 그녀가 느끼는 고마움은 실로 대단했다. "좋아요. 남편에게 오늘 저녁 차에 실어서 그쪽으로 가져다 드리라고 할게요."

"아니요, 그럴 필요 없어요." 트릭시가 강인한 팔로 의자를 번쩍 들어 올렸다. "내가 들고 가면 돼요."

　그냥 들고 가기에는 너무 무겁다고 앤절라가 극구 만류했음에도 트릭시는 의자를 들고 출발했다. 앤절라는 정원 출입문까지 그녀를 따라 나갔다. 그리고 "우리 언제 또 볼까요?"라고 물어보면서 마치 연인에게나 느낄 법한 수줍음을 느꼈다. 브로디 선생은 자주 왕진을 나갔기에 앤절라는 많은 시간을 홀로 보내 왔다. 그녀는 30년 전 창창한 의대생이었던 존 브로디와 결혼한 이래로 직장 생활을 해 본 적이 없었다. 그들 사이에는 아이가 생기지 않았다. 앤절라의 부모님은 두 분 다 세상을 떴다. 앤절라는 어쩌면 자신이 오직 책만을 위안 삼아 그럭저럭 결혼 생활을 버텨 왔을지도 모르겠다는 생각을 했다.

　트릭시가 문 앞에서 돌아섰다. "내일 만나요."

　앤절라가 환하게 미소 지었다. 그녀의 야윈 얼굴이 어린아이처럼 밝고 행복해 보였다.

　"내일 만나요." 그녀가 트릭시의 말을 메아리처럼 반복했다.

　해미시 맥베스 순경이 정원 문에 기대서 있는 동안 트릭시가 의자를 들고 그 앞을 지나갔다.

　"도와 드릴까요?" 순경이 물었다.

　"아니요, 괜찮아요." 트릭시가 바쁘게 지나가며 대꾸했다.

　해미시는 멀어지는 그녀의 모습을 바라보았다. 저 의자는 어디서 얻었을까? 그의 마음은 로흐두 마을에 있는 집들의 실내를 여기저기 돌아다녔다. 의사 선생 댁! 맞아, 거기야.

그는 브로디 선생네 집으로 향하는 길을 천천히 따라 걸어가서 집 옆으로 돌아갔다. 트릭시 토머스를 제외하고는 스코틀랜드 고지 사람치고 앞문을 이용하는 사람은 없었다.

"어서 와요, 해미시." 앤절라가 키가 껑충한 빨간 머리 순경이 문간에 나타난 것을 보고 말했다. "커피 한잔하실래요?"

"네, 주세요." 해미시는 평소처럼 아무 생각 없이 부엌으로 들어갔다가 놀라서 눈을 끔뻑거렸다. 지금까지 브로디 부부의 부엌이 이렇게 깨끗한 모습은 한 번도 본 적이 없는 까닭이었다. 앤절라는 입에 거품을 물 정도로 흥분해서 트릭시가 어떻게 도움을 주었는지 그에게 설명했다.

"그분이 들고 가던 게 이 집 의자 아니었나요?"

"맞아요, 그 가여운 부부 집에는 가구가 거의 없더라고요. 두 사람은 거기서 민박을 시작하고 싶어 하거든요. 그건 우리 할머니가 쓰시다가 물려준 낡은 의자에 지나지 않아요."

민박을 운영하려는 사람이라면 낡았어도 실용적인 물건을 원해야 하지 않을까? 해미시는 갑자기 그런 생각이 들었다. 그는 혹시 그 의자가 꽤 값어치 나가는 것은 아닐까 하는 의구심이 생겨 불쾌한 기분이 되었다. 하지만 고가구에 관해서는 아는 바가 없으니 속수무책이었다.

부엌에 파리가 윙윙거렸다.

"아, 문을 닫았어야 하는데." 앤절라가 말했다. "진절머리 나는 파리 떼 같으니."

"저쪽에 파리약 스프레이가 있네요." 해미시가 가리켰다.

"저런 스프레이는 오존층에 구멍을 내요." 앤절라가 말했다.

"그렇겠죠. 하지만 부엌에 파리가 우글거리는데, 환경만 생각하고 있기는 힘들잖아요." 그의 고지 억양은 화가 나면 강한 치찰음을 냈다. 그는 오존층 어쩌고 하는 얘기는 분명히 트릭시의 입에서 나온 거라고 확신했다. 하지만 트릭시의 말이 틀린 말은 아니었다. 그런데 왜 그는 이토록 억울한 기분이 드는 것일까?

앤절라와 이런저런 잡담을 나눈 후, 해미시는 자리를 털고 일어나 경찰서로 출발했다. 가느다란 보슬비가 내리고 있었다. 호수 위로 하늘이 흐느꼈지만, 공기는 따뜻하고 축축했다.

그때 그는 경찰서 옆에 볼보 한 대가 멈춰 서는 것을 보았고, 곧 프리실라가 차에서 내려섰다. 그는 달리기 시작했다.

제2장

오 사랑의 신이여!
그녀가 그댈 장님으로 만들었나요?
아! 나는 과연 어떻게 될까?
존 릴리

경찰서에 가까워지는 동안 그는 속도를 늦추었다. 입이 바짝 마르고 심장이 늑골 아래서 쿵쿵거리고 있었지만, 태연해 보이려 애를 썼다.

그러다가 프리실라에게 가까워지기 직전에야 비로소 자존심 덕분에 가까스로 체면을 차릴 수 있었다. 해미시 맥베스는 원숭이 같은 털북숭이 남자에게 홀딱 반해 정신을 못 차리는 저급한 취향의 여성 뒤꽁무니나 쫓아다니는 그런 남자가 되고 싶은 생각은 추호도 없었다.

"오랜만이에요, 프리실라."

"빨리 부엌문 좀 열어 줘요." 프리실라가 말했다. "지금 산 채로 뜯어 먹히게 생겼어요. 그런데 왜 각다귀가 당신에게는 달려들지 않는 거죠?"

"난 기피제 바르고 나왔어요." 해미시가 말했다. "문은 이미 열려 있어요. 그러니 내가 열어 주길 기다릴 필요 없어요. 그런데 여긴 웬일이에요?"

프리실라는 부엌에 앉아 방풍용 재킷 모자를 벗었다.

"아빠가 새로 이사 온 사람들 집에 인사차 다녀오라고 해서 요."

그러시겠지, 해미시는 침울하게 생각했다. 성의 안주인 노릇도 하면서 마을 순경에게도 잠시 들렀다 간다 이거군.

"그 사람들 어떻게 생각해요?" 그가 주전자를 올려놓으며 말했다.

"기분 좋은 사람들이던데요. 부인 쪽은 굉장히 개성이 강하더라고요. 브로디 선생의 부인이 집 안 정리를 돕고 있어요. 브로디 부인은 마침내 친구를 사귀어서 굉장히 신이 나 있던데, 그럴 만도 하죠."

"뭐가 그럴 만하다는 거예요?" 해미시는 주의 깊게 찻잎을 계량해서 주전자 안에 떠 넣으며 물었다.

"브로디 부인은 외톨이였잖아요. 그냥 논문이나 쓰고, 학위를 더 따거나 박사 과정을 밟거나 그러면서 학자로 남았어야 해요. 머리는 좋은데 자신감은 없고, 일반 상식도 부족하잖아요. 트릭시 토머스가 그런 그녀를 아주 제대로 다루고 있더라고요. 내일은 브로디 부인 머리에 파마도 해 주기로 했대요."

"파마하면 안 되는데." 해미시가 말했다. "그 어린애 같은 머리 모양이 그녀에게 가장 잘 어울리잖아요."

"음, 글쎄요, 파마하기로 했다고 무척이나 들떠 있어요. 그리고 머리야 금방 자랄 텐데요, 뭘."

해미시가 그녀에게 찻잔을 건네주고 자신의 잔에도 차를 따른 다음 식탁 맞은편에 자리 잡고 앉았다.

"그럼 남편 폴은 어땠어요?" 그가 물었다.

"사람은 좋아 보이더라고요. 약간은 무기력한 어린애 같기도 하고요. 트릭시가 남편도 챙기면서 민박 준비도 하느라고 혼자 애꺼나 먹고 있는 것 같아요."

"아니면 그게 원래 그녀의 방식일지도 모르죠." 해미시가 말했다. "트릭시가 당신에게는 가구 좀 달라고 하지 않던가요?"

"실은 달라고 했어요. 그렇지만 아빠를 만나 보라고 얘기했어요. 집에 내 소유의 물건은 아무것도 없으니까요."

"집에 온 지 벌써 일주일이나 됐다고 들었어요."

프리실라가 해미시의 차분하고 살피는 듯한 녹갈색 눈동자를 바라봤다.

"좀 더 일찍 경찰서로 찾아와서 만나려고 했어요." 그녀가 방어적으로 말했다. "그런데 시간이 어찌나 빨리 지나가는지. 친구들하고 같이 왔거든요. 그 사람들은 내일 떠날 거예요."

"그 사람들이 누군데요?"

"아, 그냥 친구들이에요. 세라 제임스랑 여동생 재닛, 데이비드 백스터, 존 벌링턴이에요."

"나도 그 사람들 봤어요." 해미시가 초연함을 가장하며 말했다. "운전하며 그 앞으로 지나가다가요. 그 털 많은 친구는 누구예요?"

"구릿빛으로 그을린 잘생긴 사람 말인가요? 그 사람이 존이에요."

"직업이 뭐예요?"

"매우 성공한 증권 중개인이에요."

"여피족*치고는 나이가 좀 들었던데요."

"해미시, 난 당신도 여피족을 비웃는 그런 사람인 줄 몰랐어요. 뭐 딱히 젊은 나이는 아니죠. 서른 살이니까요."

"내 나이랑 비슷하네요." 해미시가 건조하게 말했다.

"어쨌든 그는 매우 열심히 일하는 야심 찬 사람이에요. 글로스터에 근사한 주말농장도 한 채 사 놓았대요. 내가 9월에

---

* 도시나 도시 근교에서 지적인 전문직에 종사하며 고소득을 올리는 젊은이들을 지칭하는 말로, 1980년대 젊은 부자를 상징한다.

런던으로 돌아가면 거길 구경시켜 주기로 했어요. 난 지금 컴퓨터를 배우는 중이에요. 가을에 다시 강좌가 시작하거든요."

"그리고 당신은 그와 사랑에 빠졌군요." 해미시가 아무 감정도 실리지 않은 목소리로 말했다.

프리실라의 얼굴이 달아올랐다. "잘 모르겠어요. 아마도 그런 것 같아요."

바로 그 순간, 해미시는 그녀를 한 대 칠 수도 있었다. 만약 프리실라의 대답이 '맞아요'였다면, 그 길로 그의 희망은 끝나버렸을 테고, 그럼 그도 편안해지는 법을 배울 수 있었을 것이다. 하지만 진정 사랑에 빠진 사람은 절대로 그 사실을 의심하지 않는다는 것을 해미시는 누구보다도 잘 알았다. 따라서 해미시는 의도치 않게 그의 가슴에 실낱같은 희망의 끈을 남겨놓은 그녀에게 속으로 저주를 퍼부었다.

그는 프리실라에게 아무것도 요구할 권리가 없었다. 프리실라의 입장에서 두 사람은 그저 친구에 불과했다.

프리실라가 대화 주제를 바꾸었다. "시노선에서 이룬 성과 덕분에 난 당신이 승진했을 거로 생각했어요."

"난 승진 같은 거 원치 않는다고 이미 말했잖아요. 난 여기서 지내는 게 편해요."

"해미시, 사람이 성공을 원치 않는 것처럼 보이는 건…… 그러니까…… 음…… 그저 치기 어려워 보일 뿐이에요."

"당신도 야망 같은 건 전혀 품고 있지 않잖아요, 할버턴스마이스 양. 그게 아니면 혹시 야심 찬 남자와 결혼하는 것으로 자신의 야망을 대신 실현하려 마음먹고 있는, 시대에 뒤떨어진 여성인 거예요?"

"이 차 맛이 정말 형편없네요." 프리실라가 말했다. "그리고 당신도 형편없어요. 원래 굉장히 친절하고 상냥한 사람이잖아요."

"프리실라, 지금 나더러 치기 어린 게으름뱅이라고 해 놓고 내가 상냥하길 기대하는 거예요!"

"어머, 그랬네요." 그녀가 그의 셔츠 소맷자락에 한 손을 올려놓았다. "미안해요, 해미시. 우리 다시 시작해요. 내가 방금 여기 도착해서 당신이 내게 톱밥 불린 맛이 나는 차 한 잔을 따라준 거예요. 그리고 우린 토머스 부부 얘기를 하는 중이고요."

해미시는 갑작스러운 안도감을 느끼며 프리실라를 향해 환하게 미소 지었다. 그는 두 사람의 마음 편한 우정을 소중히 여기고 있었기에 그것을 잃고 싶지 않았다.

프리실라도 미소로 화답하더니 곧 한숨을 내쉬었다. 해미시는 멀쑥하게 키만 크고 비쩍 마른 외모에 야망이라곤 없었다. 하지만 그가 미소 지어 녹갈색 눈동자가 그 야윈 얼굴에서 가늘어질 때면, 그는 마치 존 벌링턴은 전혀 알지도 못하고 절대로 속할 수도 없는 훨씬 오래되고 깨끗한, 그런 세상에 속한 사람처럼 보였다.

"맞아요, 토머스 부부." 그녀가 말했다. "트릭시는 다른 사람이 그녀를 위해 뭔가를 하게끔 이끌어 가는 실력이 뛰어나더라고요. 내 생각에 마을 사람 절반이 이미 그 집에 다녀간 것 같아요. 음식도 가져다주고 물건도 고쳐 주고 하면서요."

"어디서 살다 왔대요?"

"런던 북부, 에지웨어요."

"런던에는 할 일이 널려 있을 텐데." 해미시가 말했다. "북쪽하고는 다르잖아요. 그런데 폴은 왜 실업수당을 받고 있었을까요?"

"그게 아닐지도 몰라요. 어쩌면 이곳에 오려고 일자리를 그만두고 여기 도착하고 나서야 실업수당을 받기 시작했을 수도 있죠. 그 사람들에게 굉장히 관심이 많네요."

"이상하게도 그 사람들이 뭔가 문제를 일으킬 것만 같은 불안한 느낌이 자꾸 들어서 그래요." 해미시가 천천히 말했다.

부엌문에서 노크 소리가 들렸고, 해미시는 일어나서 문을 열어 주러 갔다. 존 벌링턴이 문 앞에 서 있었다. "혹시 프리실라 여기 있습니까? 그녀 차가 보여서요."

"나 여기 있어요." 프리실라가 자리에서 일어서며 말했다. 그녀가 두 사람을 서로 소개시켜 줬다. 존 벌링턴의 잘생긴 얼굴에 매력적인 미소가 떠올랐다.

"어딜 이렇게 오래 돌아다녀요, 실라. 다른 사람들도 밖에서 기다리고 있어요."

프리실라와 존이 밖으로 나갔다. 해미시는 천천히 사무실로 걸어가서 서류를 이것저것 챙겨 들었다가 다시 내려놨다. 실라! 대체 무슨 이름을 그렇게 부른단 말인가. 밖에서 두 사람의 웃음소리가 들려왔다. 그리고 존 벌링턴의 목소리도 들렸다. "우리 실라가 뭘 하고 있었는지 여러분은 짐작도 못 할걸요. 동네 순경하고 차를 마시고 있었어요. 달링, 당신은 정말 경이로워요!" 그가 다른 사람도 다 이끌고 온 게 분명했다.

해미시는 책상에 자리 잡고 앉았다. 그는 자신이 프리실라 할버턴스마이스를 잘 모르고 있다는 느낌이 들었다. 그 자신은 저런 패거리와는 절대로 오래 붙어 다니지 못할 것 같다는 생각이 드는 까닭이었다. 하지만 그저 질투심 때문에 판단력이 흐려지고 있는지도 모를 일이었다.

그날 밤 집에 돌아온 브로디 선생은 의아한 기분으로 집 안의 공기를 킁킁거렸다. 집 안 곳곳에서 가구 왁스와 소독약 냄새가 났다. 그렇다면 아내는 청소하느라 완전히 지쳐서 뻗어 있을 터였다. 하지만 그는 늘 집이 깨끗하길 바라 오지 않았던가. 의사는 식탁에 앉았다. 앤절라가 포장째 끓여 먹는 카레 두 봉지를 팬에서 꺼내고 즉석밥도 두 개 꺼내 놓았다. 그리고 카레 포장지를 열어 내용물을 두 개의 접시에 담았다.

"래플스는 어디 있어요?" 의사가 망고 처트니*를 자기 밥에 올리며 물었다.

"정원으로 내보냈어요. 식사 때마다 식탁에 올라와서 돌아다니잖아요. 고양이는 세균 덩어리예요."

"우린 래플스의 세균에는 면역됐을 거예요. 녀석과 몇 년이나 함께 살았잖아요." 의사가 레드 와인이라는 단어 외에는 생산 연도 같은 것도 전혀 적혀 있지 않은 병을 들어 올려 자신의 잔에 와인 한 잔을 따르며 말했다. "왜 새삼스럽게 래플스의 세균 걱정을 해요?"

"트릭시 토머스가 고양이는 상당히 위험한 존재라고 하더라고요. 그리고 사실 나도 사방에 널린 고양이 털이 이젠 지긋지긋해요."

"가여운 늙은 고양이 래플스." 의사가 말했지만, 그의 아내는 다시 책 쪽으로 시선을 돌렸다.

브로디 선생은 카레를 다 먹고 나서 물었다. "후식은 없어요? 이런 즉석요리는 아무리 먹어도 속이 계속 헛헛하다는 게 문제예요."

앤절라가 식탁에서 일어섰다. "내가 버터 스카치 푸딩을 만

* 인도에서 유래된 걸쭉하고 달콤새콤한 풍미용 소스이다.

들어 놨어요. 트릭시가 어떻게 만드는지 알려 줬거든요."

아내가 남편 앞에 접시 하나를 내려놓았다. 그가 푸딩을 한 입 떠먹었고, 곧 놀라움으로 눈이 휘둥그레졌다. "이거 정말 맛있네요. 굉장히 맛있어요. 역시 당신은 영리해요."

"트릭시가 아니었다면 만들 생각도 못 했을 거예요."

"그렇다면 트릭시에게 신의 은총이 내리기를." 의사가 기쁜 마음으로 번쩍번쩍 윤기 나는 부엌을 둘러보며 말했다.

하지만 앞으로 몇 주 후면 그는 방금 했던 말을 뼈저리게 후회하게 될 참이었다.

7월이 되면서 여름이 서서히 시작되었다. 해는 점점 더 길어졌고, 한낮은 견디기 힘들었다. 간간이 내리는 보슬비와 따뜻하고 축축한 바람에 파리와 각다귀가 떼로 몰려들었다. 트릭시는 '로컬 민박, 숙박과 식사'라는 간판을 만들어 집 밖에 걸어 놓았다. 이미 숙박객도 받은 참이었다. 글래스고에서 온 쇠약해 보이는 한 여성이 병든 기색을 띤 시끄러운 아이들을 데리고 와 머물렀고, 마치 유령처럼 마을을 돌아다니는 비쩍 마르고 조용한 남자 하나도 묵고 있었다.

해미시는 토머스 부부를 일부러 피해 다녔지만, 어느 날 그는 폴 토머스가 정원을 거니는 모습을 보았다. 트릭시의 모습은 어디에도 보이지 않기에 그는 천천히 그쪽으로 다가갔다.

삽자루에 기대서 있던 그 덩치 큰 사내가 해미시를 발견하고는 말했다. "채소밭을 만드는 중이에요. 그런데 쉽지가 않네요. 몇 년 동안 호미질이라고는 한 번도 하지 않았는지 땅이너무 단단해요."

"부인은 어디 가셨나 봐요?" 해미시가 물었다.

"예, 어디 좀 갔어요. 인버네스에 간 것 같아요."

"땅 고르는 게 사실 쉬운 일이 아니죠." 해미시가 공감한다는 듯이 말했다. "그러고 보니 아치 매클레인이 회전식 경운기를 가지고 있네요. 왜 흙을 마구 휘저어 깨뜨리는 거 있잖아요. 지금 낚시하러 가지 않았다면, 아마 쓰라고 빌려줄 겁니다. 함께 그의 집으로 가서 빌려 달라고 해 볼래요?"

"그거 정말 좋은 생각이네요." 폴이 삽을 한쪽으로 던져 버리고 손을 바지에 대고 문지른 후 정원을 나와 해미시 쪽으로 걸어왔다.

"지금쯤이면 로흐두가 런던과는 많이 다르다는 걸 아셨을 겁니다." 해미시가 주머니에서 각다귀 기피제를 꺼내 얼굴에 문질러 바르며 말했다.

"여기서는 뭔가 해 볼 수 있을 것 같은 기분이 들어요." 폴이 말했다. "새로운 출발요. 사실 지금껏 뭔가 제대로 이루어 놓은 게 아무것도 없거든요. 트릭시는 대단하죠. 아내가 없었다면 대체 어떻게 살았을까 싶을 정도라니까요."

"런던에서는 무슨 일을 하셨나요?"

"아, 그냥 이것저것요. 문제는 살이 찌니까 맘대로 움직일 수가 없다는 겁니다. 살이 찌면 찔수록 점점 더 많이 먹어야 할 것 같은 기분이 든다니까요. 트릭시는 마치 회오리바람처럼 내 삶 속으로 들어와서 날 차지하고는 그때부터 내가 체중 조절을 하게끔 했어요. 런던에서 살던 집은 내 소유였어요. 실은 어머니 집이었는데 물려받았죠. 트릭시는 그 집을 팔자고 했죠. 그리고 그 돈으로 여기에 집을 사자고 제안한 거예요. 난 정원을 좀 가꾸어 보려고 해요. 뭔가를 키운다는 게 의미 있는 일이 될 것 같아서요. 내 말 무슨 뜻인지 아시죠?"

해미시는 고개를 끄덕이고는 말했다. "하지만 도시에서 누리던 연극이니 영화니 하는 것들이 그립지는 않나요?"

"아니요, 난 도시 생활을 그리 즐기지 못했어요. 여긴 조용하고 사람들도 다 친절해요. 우린 정말 많은 도움을 받고 있어요. 하지만 트릭시도 여기 분들에게 정말 큰 도움이 될 겁니다. 모두가 그녀를 사랑하죠. 앞으로 아내는 마을을 위해 많은 일을 할 거예요. 벌써 '로흐두 조류 관찰 및 조류 보호 협회'를 구성하려 생각 중이에요. 오늘 밤 교회에서 첫 번째 모임이 있을 겁니다."

"아이들이 좋아할 것 같네요." 해미시가 조심스럽게 말했다. "하지만 새를 위한답시고 너무 심하게 사람들을 괴롭히지는 말아야 할 겁니다. 그런 협회 중에 어떤 건 주민들에게 직접적인 위협이 될 수도 있거든요. 예를 들어, 어떤 협회에서는 볏이 엄청나게 커다란 무슨 새나라 뭐라나 하는 게 둥지를 트는 자리라고 사람들이 거기서 토탄도 캐지 못하게 하고 있어요. 하지만 토머스 부인은 그저 다양한 종의 새들을 관찰하고 발견하는 데 관심이 있을 것 같다는 생각이 드네요."

"나도 그렇게 생각해요." 폴이 말했다. "그렇지만 아내는 뭐든 철두철미하게 하는 걸 좋아해요. 심지어 로호두 정화 캠페인도 시작하려 하고 있어요."

"도덕 정화요?"

"아니요, 길거리 청소요."

해미시는 부두를 따라 이어지는 길을 쭉 훑어봤다. 휴지 조각 하나도 떨어져 있지 않았다.

"그리고 아내는 브로디 선생 댁을 찾아가서 흡연 반대 운동을 시작하는 것에 관해서도 상의할 생각이에요."

"이런, 이런. 거기 가서 그런 얘기 하시면 위험할 텐데." 해미시가 말했다. "의사 선생 본인이 굴뚝처럼 담배를 피우는 사람이거든요."

"나도 알아요. 트릭시도 매우 수치스러운 일이라고 말했어요. 아내는 의사가 담배를 피우는 건 자신의 환자에게 암을 선물하는 거나 마찬가지라고 했어요. 그리고 아내는 브로디 부인을 찾아가서 의사 선생의 다이어트에 관해서도 상의해야 한다고 하더라고요. 브로디 부인이 남편에게 어떤 걸 먹게 하는지 당신도 봐야만 해요. 감자튀김은 물론이고 아무거나 막 먹게 하거든요. 콜레스테롤 과다 섭취라고요."

해미시는 마음이 불편했다. "사람들을 너무 귀찮게 하는 것도 안 좋아요. 브로디 선생은 나이가 쉰일곱인데, 마흔 정도로밖에는 안 보여요. 내 기억으로는 그동안 몸이 아팠던 적도 없었던 것 같고요."

"아, 뭐가 그분에게 최선인지는 트릭시가 잘 알 겁니다." 폴이 아무렇지도 않게 말했다.

그들은 침묵 속에 걸어갔다. 해미시는 전에 로흐두에 살았던 비쩍 마르고 병약한 데이비드 커리를 떠올렸다. 그에게는 독재자 같은 어머니가 있었는데, 데이비드는 그런 어머니를 숭배했다. "엄마가 제일 잘 아세요"라는 말이 그가 가장 자주하던 말이었다. 그러던 어느 날 그는 술에 취한 채 도끼를 들고 어머니를 뒤쫓아 다녔고, 해미시가 그 겁에 질린 여인을 구해 주어야 했다. 그 후 커리 모자는 에든버러로 이사했다. 그러고 나서 해미시는 데이비드가 여호와의 증인 교단에서 주요 신도로 성장했다는 소식을 들었다.

아치 매클레인은 집에 있었다. 해미시를 보자 그의 얼굴에는 환영의 미소가 떠올랐지만, 뒤에 서 있는 폴을 보자마자 미

소는 사라져 버렸다. 아치는 그들에게 경작기를 빌려주는 데
는 동의했지만, 이상하게도 폴에게는 매우 차갑게 대했고, 해
미시는 그 이유가 궁금했다.

해미시와 폴은 오후 내내 기분 좋게 서로 도우며 일을 했다.
그런 다음 해미시는 함께 경찰서로 가서 차나 한잔 마시자고
폴에게 청했다. 그가 찻주전자와 머그잔 두 개와 초콜릿 비스
킷 한 접시를 부엌 식탁에 꺼내 놓았을 때, 사무실의 전화기가
울렸다.

그는 폴을 부엌에 두고 사무실로 가서 전화를 받았다. 스트
래스베인의 블레어 경감이었다. "시골뜨기 순경, 어떻게 지내
는가?" 블레어가 물었다.

"잘 지냅니다."

"그래, 그쪽에 뭐 별일은 없나?"

"없죠, 아무 일도 없습니다."

"자넨 운 좋은지 알아." 블레어가 툴툴거렸다. "저기, 내 새
로운 상관 피터 데이비엇 씨가 낚시하러 그쪽에 가서 로흐두
호텔에 묵을 예정이야. 그러니 자네는 그분 눈에 띄지 않도록
계속 피해 다니라고."

"왜요?"

"다 자넬 위해서라고, 이 멍청한 인간아. 자네가 아무 일도
안 하고 펑펑 놀고 있는 걸 그분이 보기라도 해 봐, 당장에 자

49

네 경찰서를 폐쇄해 버릴 거라고."

"더 하실 얘기 없으세요?"

"없어." 블레어가 으르렁대듯이 말했다. "데이비엇 씨 눈에 띄지 않도록 조심해. 내가 경고했네."

그가 전화기를 쾅 소리가 나게 내려놓았다.

해미시는 잠시 그대로 있다가, 로흐두 호텔의 지배인 존슨 씨에게 전화를 걸었다.

"내가 놓아기른 닭의 달걀을 한 달 동안 무료로 가져다주려는데, 어때요?" 해미시가 물었다.

"나야 좋죠." 지배인이 말했다. "이번에 일어난 살모넬라균 소동 때문에 다들 놓아기른 닭이 낳은 달걀은 없느냐고 묻는다니까요. 물론 난 우리 호텔의 달걀도 놓아기른 닭이 낳은 알이라고 말해 왔어요. 달걀을 커피 속에 담가 갈색으로 물들인 다음에 닭의 깃털 하나를 껍데기에 붙여 놓으면 아주 감쪽같아서 다들 속아 넘어가거든요. 그렇지만 그중 하나에 식중독균이라도 들어 있으면 정말 큰일인데, 그거야 뭐 운에 맡길 수밖에요. 내가 대신 뭘 해 주면 돼요?"

"데이비엇 씨가 호텔에 들었어요?"

"예, 방금 도착했어요."

"그럼 오늘 저녁에 내 이름으로 두 사람 저녁 식사를 예약해 줘요." 해미시가 말했다.

"좋아요. 분부대로 합죠. 그렇지만 샴페인은 주문하지 마요."

그다음에 해미시는 토멜 성으로 전화를 걸었다. 집사가 전화를 받았고, 해미시는 프리실라를 바꿔 달라고 부탁했다. "누구시죠?" 집사가 의심스럽다는 듯이 물었다.

"제임스 포더링턴이라고 합니다." 해미시가 흠잡을 데 없이 완벽한 상류층 억양으로 말했다.

"잠시만 기다리십시오." 집사가 기름칠한 목소리로 대답했다.

프리실라가 전화를 받았다. "여보세요, 해미시? 당신이죠, 그렇죠?"

"맞아요. 오늘 저녁에 로흐두 호텔에서 나와 식사하지 않을래요?"

긴 침묵이 뒤따랐고, 해미시는 수화기를 꽉 움켜잡았다.

"좋아요." 마침내 프리실라가 대답했다. "그렇지만 돈은 각자 내기로 해요. 거기 음식값이 하늘 높은 줄 모르고 계속 오르잖아요."

"나 돈 있어요." 해미시가 기분 상한 목소리로 대꾸했다.

"좋아요, 몇 시에 볼까요?"

"8시요. 그리고 음…… 프리실라, 뭔가 근사한 옷으로 입고 나올 수 있겠어요?"

"혹시 이유가 뭐냐고 물어봐도 돼요?"

"아니요."

"알았어요, 그때 봐요."

해미시가 부엌으로 갔을 때, 폴은 이미 사라지고 없었다. 비스킷도 역시 남아 있지 않았다. 그뿐 아니라 접시에는 잼 자국이 뭉개져 있었다. 초콜릿 비스킷에 잼을 발라 먹는다고? 해미시는 놀라울 따름이었다. 그런데도 그의 치아가 남아 있다는 사실은 더 경이로웠다.

그날 저녁, 브로디 선생은 분홍색 흑미 한 접시를 앞에 놓고 앉아 있었다. 아내가 그에게 페리에 한 잔을 따라 주었다.

"이게 뭔가요?" 의사가 접시에 놓인 덩어리를 포크로 밀며 물었다.

"참치 밥이에요." 앤절라가 자랑스럽게 대꾸했다. "믹서에 참치 통조림 하나를 넣고 갈아서 흑미하고 섞으면 끝이에요. 통밀 빵하고 같이 드세요. 내가 직접 구웠어요."

브로디 선생은 조심스럽게 포크를 내려놓았다. 그리고 아내를 바라봤다. 머리는 가발처럼 온통 꼬불거렸고, 가닥가닥 은색으로 탈색도 되어 있었다. 복장은 딸기 자수가 놓인 기다란 하얀색 셔츠에 새로 산 듯한 청바지를 입고 새하얀 운동화를 신고 있었다. 그는 아내에게 새로운 관심거리가 생겼다는 사실이 기뻐서 아내의 변화에 단 한 마디 불평도 하지 않고,

그저 아내가 어서 이 모든 것에 싫증을 느끼고 다시 평소의 앤절라로 돌아와 주기만을 속으로 바라고 있었다. 하지만 그는 오늘 길고 힘든 하루를 보냈다. 따라서 배도 고프고 지치기도 했다. 그의 집은 새로 산 압정 핀처럼 반짝반짝 광이 났지만, 이상하게도 살균된 느낌이었고 편안하지도 않았다.

그는 포크를 내려놓고 자리에서 일어섰다.

"어디 가요?" 아내가 물었다.

"로흐두 호텔에 가서 식사다운 식사를 할 거예요. 거기 요리사가 새로 왔다고 하더라고요. 같이 갈래요?"

"바보같이 굴지 말아요." 앤절라의 눈에 눈물이 그렁그렁 고였다. "내가 온종일 얼마나 힘들게 일했는지 알아요? 집 안 청소에 빵까지 구우면서……"

브로디 선생은 밖으로 나가서 등 뒤로 조용히 문을 닫았다.

앤절라는 자리에 앉아 울고 또 울었다. 트릭시는 브로디 선생이 그 모든 쓰레기 같은 음식과 싸구려 와인과 담배로 자신을 서서히 죽이고 있다고 말했다. 앤절라는 오직 남편을 위해 이 모든 것을 준비했다. 그런데 남편은 그녀를 비웃었다. 마침내 앤절라는 눈물을 닦았다. 잠시 후에 조류 보호 협회 모임이 있었다. 트릭시도 그곳에 있을 테고, 그녀라면 이런 상황에서 어떻게 하면 좋을지 알고 있을 터였다.

"저 커플 굉장히 기품 있어 보이네요." 데이비엇 부인이 남편에게 말했다.

총경이 메뉴판 위쪽으로 시선을 들어 올렸다. 불이라도 붙은 듯이 빨간 머리의 키 크고 마른 남성이 맵시는 있지만 약간 구식으로 보이는 만찬 재킷 차림으로 키 큰 금발 여성을 안내해 들어오고 있었다. 여자는 어깨끈이 없는 비취색 짧은 주름치마 원피스를 입고 굽이 높은 녹색 실크 구두 차림이었다. 웨이터가 데이비엇 부부의 주문을 받기 위해 식탁으로 다가왔다.

"저분들도 이 마을 방문객인가?" 데이비엇 총경이 젊은 커플을 가리키며 물었다.

"아, 아닙니다. 할버턴스마이스 양과 이 지역 순경인 해미시 맥베스 씨입니다." 웨이터가 말했다.

"합석하자고 해요." 데이비엇 부인이 간절한 표정으로 말했다. 그녀는 출세를 위해서라면 물불 가리지 않는 속물이었기에 할버턴스마이스 대령의 영애와 저녁 식사를 함께했다는 얘기를 친구들에게 들려줄 수 있기를 갈망했다.

곧 해미시와 프리실라는 총경의 식탁에 함께 둘러앉았다. "우리 공평하게 서로를 이름으로 부르면 정말 좋을 것 같아요." 데이비엇 부인이 간절한 표정으로 말했다. "나는 메리고 남편은 피터예요."

"좋아요, 그럼." 프리실라가 말했다. "저는 프리실라, 이쪽은 해미시예요."

해미시는 프리실라와 오붓하게 단둘이만 보낼 수도 있었던 저녁 시간을 괜히 블레어에게 화풀이하겠다고 통째로 낭비하고 있는 자신의 충동을 저주했다. 메리 데이비엇은 작고 통통하며 야단스러운 옷차림을 한 여인으로 그녀의 스코틀랜드 억양은 잉글랜드 사람처럼 보이려는 끊임없는 시도 탓에 이도 저도 아닌 완전히 이상한 억양이 되어 있었다. 그녀의 남편은 작고 마른 체격에 머리는 희끗희끗했고, 잿빛 눈동자에 얼굴도 잿빛이었다.

"그래, 자네가 맥베스군." 그가 해미시를 찬찬히 살펴보며 말했다.

"해미시라고 부르세요, 피터." 해미시가 친근하게 말했다.

모두가 뭘 먹을지 고르는 동안 침묵이 흘렀다. "여기 가격이 황당할 정도로 비싸군." 마침내 총경이 말했다. 그가 웨이터를 돌아봤다. "우린 다 세트 메뉴로 하지."

"뭐 다른 걸 먹고 싶으면 그래도 돼요." 해미시가 프리실라에게 말했다.

"아니에요, 해미시." 프리실라가 온순하게 대답했다.

그녀는 해미시가 총경에게 자신의 존재를 알리고자 고의로 그녀를 이용하고 있음을 알아차리고는 화가 나 있었고, 그 사실을 눈치챈 해미시는 가슴이 무너지는 것 같았다.

"영광스러운 날 준비는 잘돼 가고 있나요?" 데이비엇 부인이 물었다.

프리실라는 무슨 말인지 몰라 눈썹을 추켜세웠다.

"내 말은 영광의 12일* 말이에요." 데이비엇 부인이 설명했다.

"아마 아버지는 준비되셨을 거예요." 프리실라가 말했다. "저는 이제 사냥은 안 하거든요. 뇌조 개체 수가 감소해서 사냥감도 많지 않고요."

해미시는 질 좋은 레드 와인 한 병을 주문했다.

"우린 자네 와인을 한 잔 얻어 마시도록 하지." 해미시가 와인 목록을 건네주자 데이비엇 총경이 말했다.

"자네가 그 뇌조 사냥터에서 총에 맞아 죽은 남자의 살인 사건**에 관여했었지, 안 그런가?" 총경이 해미시에게 물었다.

"예, 맞습니다."

"그 얘기 좀 해 보게. 그때 난 스트래스베인에 없었거든."

해미시가 이야기를 하는 동안 프리실라는 데이비엇 부인이 건네는, 내숭을 잔뜩 떠는 저속한 대화를 견뎌야만 했다.

첫 번째 코스가 도착했다. 연어 무스였다. 소량의 음식이 물

* 영국에서 뇌조 사냥철이 시작되는 8월 12일을 일컫는 말로, 사냥철은 12월 10일에 끝이 난다.
** 〈해미시 맥베스 순경 시리즈〉 두 번째 이야기 『무뢰한의 죽음』 속 뇌조 사냥 살인 사건이다.

고기 모양으로 놓여 있고, 그 위에는 녹색 케이퍼로 장식한 물고기 눈알이 올라앉아 해미시를 빤히 바라보고 있었다.

"여기 주방장이 새로운 '뇨리법'을 개발해 내는 거로 유명하다고 들었어요." 데이비엇 부인이 말했다.

"전 새로운 요리법은 별로 좋아하지 않아요." 프리실라가 말했다. "늘 양이 너무 적거든요."

그녀는 총경과의 대화에 푹 빠져 있는 듯 보이는 해미시를 흘깃 쳐다봤다. 해미시는 총경이 그리 마음에 들지는 않았지만, 그가 매우 지적인 사람이라는 것은 알아봤다.

프리실라는 자신이 근래 며칠 동안 존 벌링턴 생각을 전혀하지 않았다는 사실을 깨닫고는 충격을 받았다. 그러나 지금그녀는 그가 기적처럼 눈앞에 나타나서 자신을 이 식당과 데이비엇 부인 앞에서 데리고 나가 주었으면 좋겠다고 간절히바랐다. 데이비엇 부인은 탐욕스러운 눈길로 프리실라의 원피스와 귀걸이와 목걸이의 가격을 가늠해 보고 있었다.

다음 코스는 일명 '보니 프린스 찰리'라는 이름의 투르느도*였다. 자그마한 필레 스테이크 조각 하나가 역시 자그마하게자른 동그란 토스트 위에 얹혀 있었다. 버섯 두 개와 꽃 모양으로 세공한 무 조각 두 개가 접시를 장식했다. 강낭콩 모양의

---

* 소의 두터운 허리 살(필레) 가운데 부분을 구운 스테이크이다.

걸들임 요리 접시에는 얇게 저민 홍당무 약간과 심지어 그보다 더 적은 양의 깍지 완두가 놓여 있었다. 해미시는 존슨 씨에게 공급하기로 약속했던 놓아기른 닭의 달걀 양을 마음속에서 3분의 1로 줄여 버리고, 상처받은 시선을 존슨 씨에게로 던졌다. 그러자 존슨 씨가 급하게 다가왔다.

"뭐 필요하신 것 있나요?" 그가 물었다. 그때 뒤쪽에서 우당탕 소리가 들렸고, 존슨 씨는 뒤를 돌아봤다. 브로디 선생이 잔뜩 화가 난 채 의자에서 일어서 쿵쿵거리며 식당 밖으로 걸어 나가고 있었다.

"실례합니다." 존슨 씨가 중얼거리고는 의사 선생의 뒤를 따라 나갔다.

"그럼 이제 로흐두에 더는 살인 사건 같은 건 없을 것으로 보이는군." 데이비엇 총경이 말했다.

"계속 그러길 바라야죠." 해미시가 말했다. "하지만 늘 폭력을 조장하는 사람은 있기 마련입니다."

"그게 무슨 말인가요?" 데이비엇 부인이 물었다.

"종종 살인으로까지 이어질 수밖에 없는 상황을 만들고, 사람들 사이에 적대감을 심어 놓는 사람이 늘 있는 법이거든요."

"난 그런 거 안 믿네." 데이비엇 총경이 말했다. "살인자들은 보통 술이나 약에, 또는 둘 다에 취해 있기 마련이거든. 혹은 태생이 악하게 태어난 사람들도 있지. 그렇지만 다른 사람이 자길 죽이게끔 몰아가는 그런 사람은 없네."

"저는 있다고 생각해요." 프리실라가 말했다. "그게 일종의
자살하는 방법이에요. 직접 자살을 하는 게 아니라, 다른 사람
이 자기를 죽이게끔 몰아가는 거죠."

"난 인기 있는 심리학이 경찰 업무에 끼어들도록 내버려 두
지는 않을 겁니다." 총경이 말했다. "뛰어난 법의학 연구소를
이길 만한 건 없어요. 게다가 유전자 지문 감식법, 그게 또 경
이롭기 그지없거든요."

그와 해미시는 유전자 지문 감식법으로 해결한 사건들에
관해 대화를 나누기 시작했고, 프리실라는 다시 데이비엇 부
인을 상대하게끔 남겨졌다. '이게 바로 해미시와 결혼한다면
내가 살아가게 될 그런 삶이란 말이군.' 그녀는 생각했다. 하
지만 해미시가 직접 총경을 찾아왔다는 사실은 그에게도 야
망이 있음을 보여 주는 어떤 신호가 분명했다. 그런 생각을 하
고 있자니, 프리실라는 갑자기 기분이 좋아져서 데이비엇 부
인의 심문 같은 질문도 그럭저럭 견뎌 낼 수 있었다.

마지막 코스가 도착했다. 이름하여 플로라 맥도널드의 우
유 밀죽이었다. 맛도 딱 이름 같았다. 프리실라는 조리용 화이
트 와인을 섞은 휘핑크림 맛이 난다고 생각했다.

"우리 곧 다시 만나자고요." 프리실라는 데이비엇 부인이
말하는 소리에 정신이 번쩍 들었다. 그녀는 대답을 주저했다.

앞에 앉은 이 여인의 말 상대가 돼 주어야 하는 고통을 다시 감내하고 싶지 않은 까닭이었다. 하지만 만약 해미시가 진급으로 한 걸음 다가간 거라면 그녀가 도와야만 할 터였다. 게다가 아버지도 새로 부임한 총경을 만나게 된다면 기뻐하지 않겠는가.

"내일 저녁에 성으로 식사하러 오세요." 프리실라가 말했다. "8시. 토멜 성이에요. 그 도로 아세요?"

"아, 물론이죠." 데이비엇 부인이 숨을 몰아쉬며 대답했다. "피터, 프리실라가 내일 밤 우릴 저녁 식사에 초대하겠대요."

"정말 고맙습니다." 총경이 말했다.

"그래요, 고마워요, 프리실라." 해미시는 자신도 초대 인원에 포함시키려고 재빨리 대답했다.

프리실라는 해미시 맥베스를 저녁 식사에 초대한 것에 대해 아버지가 무슨 말을 할지 궁금했다.

식사를 마쳤을 때, 데이비엇 총경은 자신의 계산서에 서명했고, 해미시는 웨이터에게 내일 아침에 지배인 존슨 씨와 계산하겠다고 대수롭지 않게 말했다.

밖으로 나오자 해미시는 다른 사람들에게서 약간 뒤처져섰다.

"식사는 어땠습니까?" 존슨 씨가 물었다.

"이 혐오스러운 인간 같으니라고." 해미시가 극도로 화가 나서 말했다. "지금 굶어 죽기 일보 직전이라고요. 그건 애들에게도 부족할 양이에요. 달걀로 치면 여섯 개 값밖에 안 되니까, 더는 없을 줄 알아요."

"진정해요. 오늘 드신 누벨 퀴진*은 다시 예전 메뉴로 대체될 예정입니다. 브로디 선생도 화가 나서 거의 심장마비를 일으킬 뻔했거든요. 로흐두 마을 전체가 자기를 굶겨 죽이려 한다고 말하면서요."

"맞아요, 오늘 밤 피시앤드칩스 식당 매상 좀 오르겠어요."

해미시는 서둘러 다른 사람들을 따라잡아 데이비엇 부부에게는 작별 인사를 하고, 프리실라는 그녀의 차가 있는 곳까지 배웅해 주었다.

"정말 역겨운 음식이었어요, 해미시." 프리실라가 말했다. "그렇지만 용서해 줄게요. 당신이 총경의 환심을 사려 애를 쓰는 날이 오리라고는 생각지도 못했거든요. 비로소 자기 자신의 인생을 위해 뭔가 해 보려고 마음먹은 거라면, 지금이 딱 적기예요."

해미시는 잠시 주저했다. 단지 블레어를 괴롭힐 목적이었다는 말을 감히 그녀에게 할 용기가 없었다. 프리실라가 그의 뺨에 가볍게 키스를 하고는 차에 올라탔다. "태워다 줄까요?"

* '현대식 요리'라는 의미로 담백한 재료로 만든 음식을 조금씩 보기 좋게 담아내는 것이 특징이다.

"아니요, 걸어갈게요." 해미시는 손을 들어 올려 작별을 고했고, 프리실라는 차를 움직여 멀어져 갔다.

부둣가를 따라 천천히 걸어가던 중, 그는 누군가 도로 맞은편 인도에서 매우 급하게 움직여 가는 걸 볼 수 있었다. 방풍 재킷 모자를 푹 뒤집어쓰고 있었지만, 반짝이는 운동화를 보고 해미시는 그 사람이 트릭시라는 사실을 알아차렸다. 그녀는 자신의 정체를 숨기려는 사람처럼 고개를 다른 쪽으로 돌리고 걸어갔다. 그는 돌아서서 그 모습을 지켜봤다. 트릭시는 호텔을 향해 가고 있었다.

그는 트릭시가 무슨 볼일이 있는지 궁금했다. 그녀는 폴에게서 채소밭 만드는 일도 넘겨받은 듯했다. 이제 폴은 집 앞 담장 위에 걸터앉아서 멍하니 호수를 바라보는 모습이 자주 목격될 터였다. 어쨌든 해미시는 곧 그녀에 대해서는 까맣게 잊어 먹었다. 대신 할버턴스마이스 대령이 해미시 맥베스가 저녁 식사에 초대되었다는 소식을 어떻게 받아들일지 생각해 봤다.

"새로 부임한 총경과 그 부인을 식사에 초대하는 거야, 아무렴, 좋고말고." 대령이 성을 내는 와중에 말했다. "그렇지만 늘 공짜 밥만 눈이 벌게서 찾아다니는 순경 녀석은 우리 집에 절대로 들일 수 없어."

"그렇다면," 프리실라가 대수롭지 않다는 듯 말했다. "그분들을 모두 식당으로 모시고 가서 식사하는 수밖에 없겠네요. 해미시가 저녁 식사에 참석하지 않으면 데이비엇 씨가 무척이나 실망할 테니까요."

대령의 밤참으로 위스키와 샌드위치를 내오던 집사 젱킨스가 허리를 굽히고는 대령의 귀에 대고 무슨 말인가 소곤거렸다. 대령은 깜짝 놀라더니 집사를 따라 방을 나갔다. 그러고는 몇 분 후, 무엇 때문인지 매우 기분이 좋아진 채 다시 돌아와 말했다.

"아무래도 내가 너무 매정하게 군 것 같구나, 프리실라. 순경도 식사에 초대하려무나."

젱킨스가 무슨 말을 했을까? 프리실라는 궁금했다. 집사는 해미시를 극도로 싫어했다. 아버지가 마음을 바꿔 먹었다는 것은 보나 마나 해미시가 저녁 식사에 참석할 수 없으리라고 아버지가 믿게끔 하는 어떤 말을 젱킨스가 했다는 것을 의미했다. 무슨 말을 했는지 젱킨스에게 물어봐야 소용없었다. 그는 프리실라도 싫어했다.

그녀는 젱킨스가 커피를 가지고 다시 돌아올 때까지 기다렸다가 몰래 빠져나가서 뒤쪽 층계를 반 층쯤 내려간 곳에 있는 앵거스 부인의 응접실로 들어갔다.

앵거스 부인은 집안의 요리와 살림을 맡아 하고 있었다. 그녀는 살짝 취해 있었는데, 사실 그게 평소의 앵거스 부인 상태이긴 했다. 프리실라는 그녀에게 저녁 식사 초대와 메뉴에 관해 상의한 후 말했다. "혹시 젱킨스가 해미시 맥베스에 관해 뭔가 알고 있나요? 아무래도 그는 해미시가 저녁 식사에 참석하지 못할 거로 예상하는 듯한 느낌이 들어요."

"맞아요." 앵거스 부인이 위스키에 취한 걸걸한 목소리로 대답했다. "하천 감시관 제이미가 오늘 밤 해미시 맥베스가 몰래 강에 가서 낚시를 할 거라고 누군가에게 떠들었어요. 아가씨도 해미시와 제이미가 서로 무언의 이해관계에 있다는 사실을 잘 알 거예요. 해미시는 늘 물고기를 딱 한 마리만 잡잖아요. 그런데 입이 싼 제이미가 누군가에게 이 마을 순경이 밀렵꾼 노릇을 한다고 농담으로 얘기했는데, 그 사람이 그걸 데이비엇 씨에게 고발한 거죠."

"대체 누가 그런 짓을 한대요? 이 마을 사람이 아닌 건 확실해요. 젱킨스가 그랬을까요?"

"그는 아니에요. 오늘 저녁 내내 여기 있었는걸요. 그렇지만 해미시는 자정에 강에 갈 예정이고, 바로 그 시간에 총경이 그를 찾아갈 거래요."

프리실라는 시간을 확인했다. 11시 30분! 그녀는 자기 방으로 달려가 스웨터와 모직 치마로 갈아입고 굽 낮은 신발을 찾아 신었다. 그리고 집을 나서는 것을 아버지에게 들키지 않기 위해 뒤쪽 창문을 타고 넘은 후 차에 올라타서 해미시를 찾으러 급하게 차를 출발시켰다.

경찰서는 어두웠고, 문을 두드려도 인기척이 없었다. 그녀는 다시 앤스티 강 쪽으로 차를 몰아갔다.

차를 세워 놓은 후, 프리실라는 해미시가 좋아하는 구역으로 가기 위해 강 옆으로 난 길을 따라 올라갔다.

해미시는 물살을 헤치고 강으로 걸어 들어가 낚싯줄을 던지기 시작했다. 강물이 그의 장화 주변을 휘돌아 흘렀고, 축축한 공기에서는 소나무와 벨헤더와 인동덩굴의 향이 묻어났다. 그리고 바로 그때, 그는 누군가 길가의 관목 덤불을 헤치고 다가오는 소리를 들었다. 그가 낚싯줄을 감고 반대편 강둑 쪽으로 막 향하려는데, 친숙한 목소리가 그의 걸음을 멈추게 했다.

"해미시!"

"프리실라?" 해미시는 목소리가 들리는 쪽으로 물살을 헤치며 걸어갔다. 부옇게 흐려진 하얀 얼굴이 보였다.

"어서 강에서 나와요." 프리실라가 쉬쉬거리며 말했다. "누군가 총경에게 당신이 강에서 몰래 낚시질을 한다고 고발해서 그가 당신을 체포하러 올 거래요. 어서 나와요! 낚싯대와 투망은 나한테 줘요. 내가 덤불에 숨겨 놓을게요. 어서 장화도 벗어요."

해미시는 그녀에게 낚싯대와 투망을 건네고 강둑에 주저앉아 장화를 벗었다. 프리실라가 덤불에서 나와 그의 장화를 집어 들더니 낚싯대와 투망과 함께 숨겨 두기 위해 자리를 떴다.

"어서 여길 뜨는 게 낫지 않겠어요?" 그녀가 돌아왔을 때 해미시가 물었다.

"들어 봐요!"

프리실라가 그에게 가까이 다가와 섰고, 그들은 조용히 귀를 기울였다. 그때 살금살금 다가오는 소리를 들을 수 있었다. 발로 땅을 긁는 소리와 나뭇가지 부러지는 소리가 났다.

"데이트하는 연인인 척하는 게 좋을 것 같아요." 프리실라가 말했다. "내 몸에 팔을 둘러요."

해미시는 그녀를 가까이 당겨 안았다. 정신이 아득해지는 기분이 들었다. "하려면 제대로 하는 게 좋죠." 그가 이렇게 중얼거리고는 허리를 굽혀 그녀에게 키스했다.

세상이 빙글빙글 돌았다. 그는 프리실라를 품에 안고 무한대 속으로 소용돌이치며 빨려 들고 있었다. 그때 눈부신 빛줄기가 그의 얼굴을 비추었다. 그는 프리실라를 품에서 놓아주었다.

해미시는 살짝 몸을 떨면서 멍한 표정으로 서 있었다.

"지금 이 상황을 무슨 의미로 받아들이면 되는 건가요?" 프리실라의 냉랭한 목소리가 들려왔지만, 그 목소리는 아주 멀리 떨어진 곳에서 울리는 듯한 느낌이었다.

"정말 죄송합니다." 데이비엇 총경의 목소리였다. "정말, 뭐라고 사과를 드려야 할지 모르겠네요. 제이미가 강에 밀렵꾼이 있다고 해서……"

"보시다시피 데이비엇 씨, 정말 당황스럽기 그지없군요. 제이미, 당신에게 정말 실망했어요." 프리실라의 말에 하천 감시관이 발을 질질 끌었다.

"음, 뜻하지 않게 두 분의…… 어쨌든 방해하게 돼서…… 정말이지……" 총경이 다시 사과했다.

"제 말이 그 말이에요. 어서 들어가 쉬세요, 데이비엇 씨. 내일 밤, 아니 오늘 밤이군요. 8시에 부인과 함께 저녁 식사 자리에서 뵙겠습니다."

"예, 물론이죠. 자네도 좋은 밤 보내게나, 음, 해미시."

그러나 해미시는 멍한 눈으로 얼굴에 흐리멍덩한 미소를 지은 채 서 있기만 했다.

그들이 돌아가고 나서 프리실라는 주변을 돌아다니며 낚시 장비와 징화를 찾아왔다. 키스의 강도와 자기 자신의 반응에 스스로도 놀란 까닭에 애써 해미시의 시선을 피해 다녔다. 물론 해미시가 승진의 사다리를 올라가게끔 돕는 것은 좋은 일이었지만, 프리실라는 그와 결혼할 마음은 없었다. 마침내, 그녀는 꿈속에 잠긴 사람을 깨우기라도 하듯이 그의 소매를 잡아당겼고 해미시는 온순하게 물건을 받아 들고는 그녀를 따라 언덕 쪽으로 다시 돌아갔다.

제3장

완벽함에 대한 추구는
우아함과 지성에의 추구와 같다……
매슈 아널드

블레어 경감의 말에 따르면 해미시는 약간 모자란 사람이었다. 그날 밤 토멜 성에서 저녁 식사를 하는 동안 데이비엇 총경은 블레어의 말이 맞는다고 생각하기 시작했다. 해미시는 계속 뭔가에 발이 걸려 넘어지고, 물건을 떨어뜨렸으며, 무심결에 팔꿈치를 그레이비 그릇 속에 담그곤 했다. 그리고 저녁 내내 얼굴에 멍청한 미소를 짓고 있었다.

데이비엇 총경은 그런 동네 순경을 몹시도 싫어하는 듯한 티를 팍팍 내는 대령에게 동정심을 느꼈다. 대체 프리실라는 저런 남자가 어디가 좋은 걸까?

프리실라 할버턴스마이스는 짧은 검은색 만찬용 드레스 차림이었다. 옷은 그녀의 날씬한 몸매를 더욱 돋보이게 했고, 밝은 금발 머리와도 잘 어울렸다. 데이비엇 부인은 통통한 한쪽 엉덩이 위에 거대한 리본이 달린 베이지색 실크 드레스를 차려입고 있었고, 데이비엇 총경은 아내의 그런 차림새가 몹시도 못마땅했다. 그는 아내의 과장되게 고상한 체하는 말투에 익숙해져 있었다. 하지만 토멜 성에서 저녁 식사를 하는 동안에는 이상하게 아내의 발음이 귀에 거슬렸다. 대체 왜 아내는 와인 '글라스'를 '글리스'라고 발음하고, '저것'을 '지것'이라 하는 걸까? 그는 아내에게 심술이 잔뜩 나서 아내가 하는 말마다 "어리석은 소리 하지 말아요." 또는 "그런 건 아무도 관심 없어요"라고 면박을 주었다. 결국 데이비엇 부인은 해미시처럼 매사에 허둥대고 어색해하기에 이르렀다.

대체로 그날의 저녁 식사는 해미시만 제외하고 모두에게 그다지 편치 않은 자리가 되었다. 해미시는 마치 다른 세상에 있는 사람 같았다. 남편이 화를 낼까 봐 늘 긴장해 있는 할버턴스마이스 부인은 식탁 상석에 조용히 유령처럼 앉아 있었다.

대화가 토머스 부부 쪽으로 흘러가기 시작했다. "토머스 부인은 사람이 아주 괜찮더군요." 대령이 말했다. "오늘 가져갈 만한 가구가 있나 보겠다고 여기에 들렀다 갔어요. 아주 용감한 여성이에요. 집안을 여자 혼자 꾸려 가게 나 몰라라 손 놓

고 있는 미련한 남편까지 돌보느라 고생이 이만저만이 아니
더라고요."

"토머스 부인에게 어떤 걸 주셨어요?"프리실라가 물었다.

"내가 노송으로 만든 세면대를 가져가라고 했다. 마구실 구
석에 먼지만 잔뜩 쌓인 채 놓여 있던 것 말이다."

"굉장히 까다로워서 주는 대로 아무거나 가져가지도 않는
것 같더라고요." 프리실라가 말했다. "그 세면대는 빅토리아
조 물건이잖아요. 그녀가 정말 가구가 궁해서 구하러 다니는
거라면, 옷장이나 서랍장, 또는 침대 같은 걸 구해 가야 하는
게 아닌지 몰라요."

"아, 그런 것도 가져갈 거야. 너도 작년에 세상을 뜬 해거티
부인 알지? 왜 그 부인이 죽고 나서도 유품을 거둬 갈 사람이
아무도 나타나지 않았잖니. 알고 보니 그 부인에게는 친척이
하나도 없다더구나. 그리고 그 집도 부인의 유산에 속해 있고.
어쨌든 내가 내일 토머스 부인을 그리로 데려가서 뭐 가져갈
만한 게 있나 보여 주기로 했다."

"저 같으면 그 여자랑 가까이 지내지 않을 거예요."프리실
라가 말했다. "별로 마음에 안 들어요. 굉장히 오만하고 불쾌
한 여자예요."

"말조심해라, 딸. 그리고 네가 언제부터 사람 인품을 그렇
게 잘 파악했다고 그래." 대령이 해미시 맥베스 쪽으로 기분

나쁜 시선을 휙 돌렸다.

저녁 식사가 끝났을 때, 모두 해미시가 기뻐하리라고 예상했다. 하지만 그는 여전히 키스의 추억 속에서 붕붕 떠다니고 있었다.

그러나 다음 날 아침, 해미시는 다시 현실을 깨닫기 시작했다. 그가 프리실라에게 키스를 한 것이다. 그녀가 그에게 키스한 게 아니었다. 프리실라는 하천 감시관과 총경이 조만간 그 장소에 도착하리라는 사실을 알기에 그에게 키스를 허락했을 뿐이다. 그는 토멜 성에서의 저녁 식사 자리를 떠올려 봤지만, 마치 술에 잔뜩 취해 정신을 못 차리던 파티를 되돌아보는 듯한 느낌이 들었다.

파리가 부엌에서 윙윙거리며 날아다녔다. 그는 마음속으로 트릭시와 그녀의 오존층을 저주하면서 파리약을 집어 들어 윙윙거리는 녀석을 향해 쏘았다. 그러나 파리약 냄새가 너무 역겨웠기에 그는 신선한 공기가 들어오도록 부엌문을 열었는데, 그 순간 금파리 다섯 마리가 날아들어 왔고 그 뒤로 각다귀 떼가 몰려들었다.

바로 그때 경찰서 문에 달린 초인종이 울렸다. 문을 열자 중년 부부가 층계에 서 있었다. "우린 스코틀랜드를 여행 중입니다." 남자가 미국인 억양으로 말했다. "저는 칼 스타인버거라고 하고, 이쪽은 제 아내입니다. 여기 호텔은 우리가 묵기에는 너무 비싸더군요. 혹시 그보다 좀 저렴한 가격으로 묵을 만한 데가 있으면 알려 주십사 하고 왔습니다."

해미시는 트릭시의 집으로 여행객을 보내 주고 싶지 않았다. 하지만 그녀는 살림도 잘하고 요리도 잘한다는 평판이 자자했다. "로럴 민박이라는 곳이 있습니다." 그가 길 쪽을 가리키며 말했다. "아침 식사가 제공되는 민박집이에요. 점심도 드시고 싶으면, 그 집 안주인 토머스 부인에게 부탁하면 뭔가 준비해 드릴 겁니다. 일단 안으로 들어오셔서 차 한잔하고 가세요." 해미시는 미국인 여행객을 좋아했다. 잉글랜드인보다 그들에게 훨씬 친밀감을 느끼는 까닭이었다.

그가 파리 떼에 관해 투덜거리며 쾅 소리가 나게 부엌문을 닫았다. "두 분은 운이 없네요." 그가 스타인버거 부부에게 말했다. "여행하기에는 6월이 정말 좋은 달이거든요. 지금은 날씨가 형편없어요. 덥고, 눅눅하고, 축축하고, 파리 떼까지 얼마나 극성을 부려 대는지."

"왜 여기는 미국처럼 문에 방충망을 설치하지 않는지 모르겠네요." 스타인버거 씨가 말했다.

"방충망이오?" 해미시가 한 손에 찻주전자를 든 채로 서서 물었다.

"그래요. 목재 틀과 금속 망만 있으면 돼요. 아니면 성기게 짠 면직물을 써도 되죠. 뭐든 괜찮아요. 지중해에 면한 나라에서 하는 것처럼 문에 발을 쳐 놔도 되겠네요."

"우와, 난 그런 생각은 해 보지도 않았어요. 그렇게 간단한 방법이 있었군요. 오늘 당장 작업해야겠네요."

스타인버거 씨는 기분이 좋은 듯했다. "이 지역에는 경관님 시간을 빼앗는 범죄 사건이 별로 안 일어나나 봅니다."

"여기에도 살인 사건이 몇 건 있었어요." 해미시가 으스대듯이 말했다. 그는 스타인버거 부부에게 차와 스콘을 대접했고, 그들은 기분 좋게 대화를 나누었다. 경찰서를 떠날 때 스타인버거 씨는 해미시가 경찰서 문 앞에 서 있는 사진을 한 장만 찍게 해 달라고 졸랐다. 현관에는 장미가 넝쿨째 흐드러지게 피어 있어서 경찰서를 알리는 파란색 등이 흐려 보일 지경이었다. "미국에 돌아가서 얘기해도 아무도 안 믿을 거란 말입니다." 스타인버거 씨가 말했다.

해미시는 정원에 있는 헛간으로 나가서 나무 막대 몇 개를 찾아냈다. 그러고는 직물점으로 가서 성기게 짠 면직물을 사 왔다. 치즈를 거를 때 사용하는 천이었다.

그는 문의 치수를 잰 후 작업을 시작했다. 비가 그치고 해가 뜨겁게 내리쬐기 시작하자 파리 떼가 부엌 주변에서 윙윙거리며 돌아다녔다.

트릭시 토머스가 문간에 나타났다. "무슨 일입니까?" 해미시가 날카롭게 물었다. 그가 몰래 낚시를 한다는 것을 총경에게 고발한 사람이 트릭시가 분명하다고 확신하기에 나온 반응이었다.

"혹시 경찰서 뒤뜰에 들어가서 울타리에 엉겨 붙어 있는 양털을 좀 가져가도 될지 해서요."

"뭐하게요?"

"웰링턴 부인이 물레를 가져가라고 주셨거든요. 그래서 실을 좀 자아 볼까 하고요."

"어떻게 하는지 알아요?" 해미시가 흥미롭다는 듯이 물었다.

"아, 그럼요. 전에 런던 캠던타운에 있는 뉴질랜드 여성 문화 인식 단체에서 강의를 들었거든요."

해미시는 속으로 끙 소리를 냈다. 보나 마나 조만간 트릭시는 마을 사람 모두가 그녀의 물레 잣는 모습을 보면서 완벽한 가정주부의 또 다른 면모에 감탄을 해 대도록 집 앞 정원에 물레를 내다 놓고 '무대'에 오를 것이 분명했다. 그녀가 빈손으로는 절대로 돌아가지 않을 듯이 보였기에 그는 다시 날카롭게 물었다. "또 다른 건요?"

"경관님도 오늘 밤 열리는 흡연 반대 운동 모임에 참석하셨으면 좋겠는데, 어떠세요?"

"남자가 담배를 계속 피우게끔 몰아가는 한 가지가 있다면," 해미시가 씁쓸하게 말을 시작했다. "그건 바로 당신처럼 계속 귀찮게 구는 사람이에요. 브로디 선생 좀 괴롭히지 말고 그냥 두지 그래요?"

"그분은 의사잖아요. 그러니 담배가 해롭다는 건 누구보다 잘 알고 있을 거예요."

"당신도 한때 흡연자였던 게 분명해요." 해미시가 말했다. "과거에 흡연자였던 사람보다 더 악랄한 사람은 없거든요."

해미시도 역시 담배를 피우다 끊었지만, 담배 피우는 사람에게 금연에 관해 잔소리하고 싶은 유혹에 절대로 굴복하지 않겠다고 맹세한 터였다. 트릭시가 뭔가 말하려고 입을 열다가 그러지 않는 게 낫겠다고 생각했는지 이내 다물었다. 그녀는 기분이 좋은 듯했다. 할버턴스마이스 대령이 한동안 방치돼 있던 빈집으로 직접 운전까지 해서 그녀를 데려다주었고, 그곳에서 트릭시는 꽤 괜찮은 수확을 올린 참이었다. 대령은 자신의 딸이 해미시 맥베스와 결혼할 가능성에 대한 걱정을 털어놓으며 한동안 그녀를 즐겁게 했다.

"화장실 좀 사용해도 될까요?" 트릭시가 물었다.

"아, 예, 물론입니다." 해미시가 옆으로 비켜서서 길을 열어주며 대답했다.

그녀는 오랫동안 나오지 않았다. 해미시는 만에 하나라도 그녀가 여기저기 방들을 훔쳐보고 다닐지도 모른다는 생각에 안으로 들어가 찾아보려 했다. 그때 집 앞에서 트릭시의 목소리가 들렸다. "저기 폴이 오네요. 나는 이쪽 길로 가 볼게요."

해미시는 다시 하던 일로 돌아갔다. 그녀는 울타리에서 양털을 가져가기로 한 것을 잊어 먹은 듯했다. 그는 자신이 트릭시를 싫어하고 있으며, 주로는 앤절라 브로디에게 미치는 영향 때문에 그녀가 싫다는 사실을 깨달았다. 어처구니없을 만큼 심하게 곱슬거리는 파마머리를 한 앤절라는 요즘 계속해서 괴로운 표정을 짓고 다녔고, 그 어느 때보다도 비쩍 말라 보였다.

방충망 틀 작업을 끝냈을 때 그는 경첩이 필요하다는 사실을 깨닫고는 선구상*이자 철물점도 겸하고 있는 항구 근처의 상점으로 출발했다. 로럴 민박을 지나쳐 갈 때, 그는 작게 윙윙거리는 소리를 듣고는 정원 안쪽을 들여다봤다. 그의 예상대로 트릭시가 얼굴에 젠체하는 표정을 지은 채 바쁘게 물레를 돌리고 있었다. 그는 가던 길을 계속 갔고, 도중에 마을 어부 지미 프레이저와 마주쳤다. "술 한잔하겠나, 해미시?" 지미가 물었다. "내가 사지."

"좋아요." 그들은 로흐두 호텔 옆에 있는 술집으로 들어갔다. "무슨 일이에요, 지미? 귀에서 김이 막 뿜어져 나오는 게 보이는 것 같은데요."

"그 여자 때문에 그래." 지미가 으르렁대듯이 말했다.

* 선박용 잡화를 판매하는 상점이다.

"어떤 여자요?"

"그 여자. 그 잉글랜드인 여자 말이야. 아치 매클레인이 어젯밤에 그 여자를 배에 태웠어. 여자를 배에 태우다니! 배가 가라앉지 않은 게 기적이라고. 게다가 내가 담배에 불을 붙이니까, 글쎄 그 여자가 내 입에서 담배를 빼내 버리더라니까. 그래서 내가 그 여편네를 한 대 후려치려 했더니 아치가 여자를 내버려 두라고, 이 배에서는 자기가 선장이라고 소리를 지르잖아. 정말 재수 없는 날이야. 두고 봐, 분명히 골치 아픈 일이 생길 거라고."

"그런데 아치 매클레인은 왜 그 여자를 배에 태웠대요?"

"홀딱 빠진 거지. 그것 말고 이유가 뭐가 있겠어. 배 안에 붙어 앉아서 그 여자가 무슨 다 큰 애라도 된다는 듯이 손을 꼭 잡고 있는 꼴이라니. 우리는 죽어라 일만 하고 말이야."

"매클레인 부인은 두 사람의 연애담에 관해 뭐라고 그러는데요?"

지미는 놀란 눈치였다. "얘기 안 했어. 아치 부인이 그 사실을 알면 그 여자를 죽여 버리고도 남을걸."

잠시 후, 해미시는 술집을 나와 경첩을 사서 경찰서로 걸어갔다. 마침내 추앙받던 현모양처가 권좌에서 추락했다. 매클레인 부인은 그다지 인기 있는 사람은 아니었다. 하지만 로흐두 여자들은 웬 잉글랜드 여자가 나타나서 마을 남자들을 홀리고 다니는 걸 알면 절대로 좋아하지 않을 터였다.

따라서 그날 오후 목사의 아내 웰링턴 부인이 트릭시의 집으로 케이크를 들고 가는 모습을 보았을 때 해미시는 놀라지 않을 수가 없었다. 그녀가 트릭시의 집을 나서는 무렵 해미시는 타우저를 산책시키는 중이었다. "안녕하세요." 그녀가 인사했다. 해미시는 그녀에게로 천천히 다가갔다.

"주홍글씨 여인을 방문하고 오시나 봐요?"

"그게 대체 무슨 말이에요, 맥베스 순경?"

해미시는 남의 험담을 하는 사람이 아니었지만, 이번만 예외로 하자고 마음먹었다.

"그게 말입니다, 토머스 부인이 아치 매클레인하고 데이트하면서 손을 잡았다는 소문이 온 동네에 쫙 퍼져 있거든요."

웰링턴 부인은 덩치가 커다란 우락부락한 여성이었다. 그녀가 탐탁지 않은 시선으로 해미시를 바라봤다. "그리고 당신이 한밤중에 앤스티 강에서 할버턴스마이스 양과 키스를 하다가 들켰다는 소문도 온 동네 쫙 퍼져 있고요."

"예, 그렇지만 저는 미혼이거든요."

"그 말은 아치 매클레인은 아니다? 부끄러운 줄 알아요, 맥베스 순경. 트릭시와 폴이 그 일에 관해 다 얘기해 줬어요. 폴은 미친 듯이 웃어 대면서 그 얘기를 하더라고요. 그의 말이 트릭시는 그냥 공짜 생선이나 좀 얻어 볼까 하고 나갔던 거래요. 지금 토머스 부부는 절망적일 정도로 가난하거든요. 어쨌든 배에서 아치가 계속 치근덕거리는데, 트릭시는 대체 뭘 어떻게 해야 할지 몰랐던 거예요. 폴이 하는 말이, 트릭시 주변에는 늘 치근덕거리는 남자가 한둘씩 있다고 해요. 그러니 내가 트릭시에게 등을 돌리도록 만들려 했다면, 맥베스 순경은 실패한 거라고요. 그녀가 이 마을에 나타난 건 이제껏 로흐두에 일어난 일 중에 가장 좋은 일이에요. 그게 남의 험담이나 하고 다니는 어떤 게으른 순경에게 내가 해 줄 수 있는 유일한 말이기도 하고요." 말을 마친 웰링턴 부인은 분노로 얼굴이 벌게진 채 성큼성큼 걸어가 버렸다.

"자, 이 상황에 대해 넌 어떻게 생각해?" 해미시가 타우저를 보고 말했지만, 타우저는 콧바람만 힝힝거렸다. "내 말이 그 말이야." 해미시가 말했다. "여자들은 늘 사람 속을 뒤집어 놓는다니까."

트릭시 토머스의 집에는 초라한 행색의 여자 하나가 극성맞은 아이들과 함께 투숙해 있었다. 해미시는 토머스 부부가 객실을 채우기 위해 구호 복지 대상자를 받아들인 게 아닐까 궁금했다. 아이 넷을 데리고 사는 편모라면 꽤 많은 정부 보조금을 받고 있을 게 뻔하기 때문이었다. 비쩍 마른 조용한 남자는 그 집에 아예 눌러앉은 듯 보였다. 길에서 그가 다가오는 것을 보고 해미시는 "안녕하세요" 하고 인사했지만, 남자는 들리지도 않게 작은 소리로 무슨 말인가 웅얼거리고는 순경을 피해 지나갔다.

다음 날 아침, 브로디 선생은 사발에 담긴 뭔가를 이리저리 쩔러 보며 아내에게 말했다. "당신이 조류 보호에 관심이 있다는 건 알겠지만, 새똥을 내 아침 식사랍시고 내놓을 필요까지는 없잖아요."

"그거 뮤즐리*예요." 앤절라가 억울한 목소리로 말했다. "당신 건강을 위해서라고요."

브로디 선생은 아내를 바라봤다. "트릭시가 이걸 내게 먹이라고 했나 보군요."

"그녀가 오트밀과 건포도와 견과류로 그걸 만드는 법을 가르쳐 줬어요." 앤절라가 열심히 설명했다. "포장된 걸 사는 것보다 가격도 훨씬 저렴하고 당신 건강에도 좋은 거예요."

"그 여자가 어제 내 진료 대기실에 와서 내 허락도 받지 않고 벽마다 온통 금연 스티커를 붙여 놓고 갔어요. 당신에게 이런 애기까지 해서 걱정시키지 않으려고 했는데, 해도 해도 너무한다는 생각이 드는군요. 내가 그 여자한테 꺼져 버리라고 소리를 질렀더니, 그 여자가 보건 당국에 나에 관해 불평하는 편지를 써 보낼 거라고 하더군요."

---

*곡식, 견과류, 말린 과일 등을 섞은 것으로 아침 식사로 우유에 타 먹는다.

남편을 향한 앤절라의 충성심은 이미 흔들린 지 오래였다.

"사실 의사는 담배를 피우면 안 되는 거잖아요. 그러니 당신은 트릭시를 비난할 자격도……"

남편의 눈에 서린 분노의 기미를 감지했는지 그녀가 말꼬리를 흐렸다. "내 말 잘 들어요." 그가 말했다. "난 잠시 그러다 말겠지 싶어서 당신이 개념 없는 트릭시의 지시대로 움직이는 걸 그냥 보고만 있었어요. 그랬더니 집 안은 무슨 병원 무균실처럼 변해 버렸고, 고양이는 헛간에 가둬졌고, 개는 정원에 있는 개집에 갇혀 버렸어요. 게다가 아내라는 사람은 하포 마르크스* 같은 머리 모양을 하고서 마치 매일 뭔가에 관해 행진이나 데모를 벌이는 성가신 여자들 같은 옷차림을 하고 다니네요. 난 저녁 식사로 스테이크와 감자튀김을 먹으면서 와인도 음미하고 싶어요. 토끼풀 같은 음식을 다시 한 번만 내 식탁에 올렸다가는 식탁 전체에 먹은 걸 토해 버릴 테니 그런 줄 알아요. 그리고 오늘 저녁에는 우리 집 동물들을 내 집 안에서 보고 싶군요. 그리고 그 여자 이름을 또 한 번만 내 앞에서 언급했다가는 내 손으로 그 여자를 죽여 버리겠어요."

남편이 집 안으로 들어서는 순간, 매클레인 부인은 주전자

---

*20세기 초중반 미국에서 활동했던 '마르크스 형제'라는 유명한 코미디언 삼 형제 중 둘째이다.

로 남편의 머리를 후려쳤다. 그는 뒤로 물러서며 비명을 질렀다. "이게 뭐 하는 짓이야?"

비록 로흐두 주민들이 그녀에게 직접 남편과 트릭시 사이에 있었던 일을 말해 준 것은 아니었지만, 그들은 잉글랜드 여자에게 얼이 빠져 버린, 자기들이 아는 한 남자에 관한 끔찍하고도 출처가 불분명한 어떤 정보를 스코틀랜드 고지 사람들만의 의사소통 방식을 이용해서 우회적인 방법으로 그녀에게 전달해 주었다. 그리고 역시 고지 사람인 매클레인 부인은 그 암호화된 정보를 확실하게 해독해 냈다.

"그래, 그 잉글랜드 여자한테 얼마나 알랑방귀를 뀌고 온 거야, 이 쓸개 빠진 혐오스러운 인간아." 매클레인 부인이 소리 질렀다.

"그 여자가 그냥 내 배에 한번 타 보고 싶다고 해서 태워 준 것뿐이야." 그가 머리를 문지르며 부루퉁하게 말했다.

"그런데 그년 손을 잡아? 등신 같은 고등학생 애들처럼 말이지! 내 말 잘 들어, 아치 매클레인. 다시 한 번만 그 여자 근처에서 얼씬거렸다가는 내 손으로 그 여자 목을 졸라 버릴 테니 그럴 줄 알아."

"쓸데없는 소리 지껄이지 말라고." 이렇게 말하며 아치 매클레인은 아내가 다시 주전자로 공격해 오기 전에 문밖으로 달려 나갔다.

그는 술집으로 곧장 달려갔다. 지미 프레이저가 이미 바에 앉아 있었다. 지미가 크게 미소 지으며 그를 반겨 주었다. "고지 카사노바 양반, 안녕하신가?"

"입 다물어." 아치가 골이 잔뜩 나서 말했다. 그리고 지미 옆에 자리 잡고 앉아 맥주를 주문했다.

"자네 조금만 일찍 왔으면 그 여자 남편과 마주칠 뻔했어." 지미가 말했다. "그런데 그 덩치 커다란 양반이 자기 마누라한테 수작을 걸어온 어떤 선장에 관해 떠들어 대면서 웃겨 죽으려고 하더라니까. 그 양반 마누라는 그 못생긴 선장의 감정을 상하게 할까 봐 겁이 나서 이러지도 저러지도 못했다나. 그 트릭시라는 여자가 온 마을 사람 앞에서 자넬 바보로 만들고 있다고, 이 사람아."

아치는 점잖게 침묵으로 일관했지만, 마음속에서는 살의가 파도처럼 소용돌이치며 일어났다.

이언 건은 한때 소작농이었지만, 지금은 자기 땅을 일구고 있었다. 그는 1975년 로흐두에서 언덕 하나를 넘어간 곳에 있는 코일 호숫가에 낡고 쇠락한 서덜랜드 농장 하나를 사들였다. 지난 몇 년간 그는 밭을 쟁기질하고 씨를 뿌렸으며, 땅에서 자갈과 암석을 골라내기 위해 쉬지 않고 노력해서 마침내는 상당히 번성한 농장을 소유하게 되었다. 기름지게 경작된

드넓은 밭과 소 떼가 노니는 들판으로 구성된 그의 농장은 주변 농지들보다 훨씬 아래쪽 평지에 자리 잡고 있어서 고지대라기보다는 저지대 스코틀랜드*에 가까워 보였다. 그런 그의 농장 부지에도 여전히 보기 흉한 곳이 딱 한 군데 있었는데, 농지 한쪽 끄트머리 구석진 곳에 흉물스러운 몰골로 서 있는, 다 무너져 가는 2층짜리 낡은 농가가 바로 그 주인공이었다. 그는 불도저를 빌려서 그것을 밀어 버리고 돌무더기를 치운 후 땅을 쟁기질해 갈아엎을 작정이었다.

어느 날 이언 건은 빌린 불도저를 운전해 그 폐허 쪽으로 나아가고 있었다. 그때 한 무리의 여자들이 깃발을 들고 그 농가 앞에 서 있는 것이 눈에 들어왔다. 가까이 다가가는 동안 그는 깃발에 쓰인 '박쥐를 보호합시다'와 '이언 건은 살인자다'라는 글귀를 어이없는 심정으로 읽었다. 이언은 불도저를 세우고 운전석에서 내려섰다. 목사의 아내 웰링턴 부인과 앤절라 브로디 외에도 마을 여자 여럿이 눈에 띄었다. 무리를 대변하는 여성이 앞으로 나섰다. 이언 건은 그 여자가 누구인지 알아보지 못했다. 그러다가 곧 그녀가 최근에 로흐두 마을로 이사 온 트릭시 토머스라는 사실을 알아차렸다.

"당신은 여길 통과할 수 없어요!" 트릭시가 소리 질렀다.

* 주로 산악 지대와 황야로 이루어진 고지대와 달리 넓은 평야와 보다 완만한 지형을 갖춘 스코틀랜드 남부 지방이다.

그러자 뒤에 서 있던 여자들이 행진을 하며 "우리는 절대로 움직이지 않을 겁니다"라고 노래 부르기 시작했다.

그는 머리를 긁적거렸다. "난 핵미사일 같은 걸 싣고 온 게 아닙니다. 이게 대체 무슨 일입니까?"

"당신에게는 박쥐가 있어요." 트릭시가 말했다.

"어이쿠, 당신들이 박쥐군요." 이언이 말했다.

"아니요, 내 말은 저 낡은 농가 안에는 박쥐가 살고 있고, 박쥐는 보호종이라는 말이에요. 그러니 저 집은 건드릴 수 없어요."

이언은 하얀색 랜드로버 경찰차가 다가와 들판 언저리에 주차하는 모습을 안도감을 느끼며 바라봤다. "저기 해미시 순경이 오네요." 그가 말했다. "해미시가 해결해 줄 겁니다."

해미시가 느긋하게 걸어오는 동안 여자들이 다시 노래 부르기 시작했다.

"이 한심한 여자들에게 여기서 썩 물러나라고 얘기 좀 해 주게." 이언이 말했다. "저 다 무너져 가는 농가 안에 박쥐가 살고 있어서 내가 불도저로 밀어 버리면 안 된다고 고집들을 부리는 거라네. 자넨 이런 말도 안 되는 소릴 들어 보기는 했나?"

"저 사람들 말이 맞기는 해요." 해미시가 말했다. "박쥐가 보호종인 건 맞거든요, 이언. 그러니 저 집은 허물지 말고 그대로 둬야 할 겁니다."

"사람 미치겠군. 그러니까 자네 말은 내가 내 땅 안에 있는 걸 내 마음대로 할 수 없다는 말인가?"

"박쥐에 관한 한은 그래요."

이언의 얼굴이 분노로 어두워졌다. "이 빌어먹을 여편네들을 다 불도저로 밀어 버리고 싶군."

"저 사람이 하는 말 들었죠, 순경님?" 트릭시가 말했다. "우릴 다 죽이겠다고 협박하고 있잖아요."

"난 그런 말 한 마디도 못 들었어요." 해미시가 퉁명스럽게 말했다. "그렇지만 여기 이러고 있는 여자분들도 부끄러운 줄 아세요. 그래요, 당신도 포함이에요, 웰링턴 부인! 부인도 이언이 여기 이 낡은 농가를 불도저로 밀어 버릴 거라는 얘기는 이미 들었을 겁니다. 그런데 대체 왜…… 아니, 그냥 편지 한 통만 적어 보냈어도 됐을 거 아닙니까? 이렇게 애들처럼 철없게 구는 대신에 말이에요. 정말 수치스러운지 아세요, 여러분 모두요."

"이언 건 씨처럼 땅에 탐욕스러운 사람은 아무리 편지를 보내도 관심조차 기울이지 않았을 거예요." 트릭시가 말했다.

"이런, 그 말은 내 귀에 들리는군요." 해미시가 말했다. "이언, 이 여자를 고소하고 싶으면 하세요. 내가 당신의 증인이 돼 줄게요. 어서 다들 집으로 돌아가서 제발 어른처럼 처신들 하세요. 훠이!"

앤절라가 인상을 찌푸렸다. 해미시의 눈은 매섭기 그지없었다. 그녀는 불쑥 자신들의 모습이 얼마나 어리석게 보일까 하는 생각이 들었다. 대체 여길 뭐 하자고 따라온 걸까? 그리고 트릭시에게는 이언에 관해 그런 식으로 말할 권리도 없었다. 사실 소작농들은 농장주를 무조건 싫어했다. 하지만 그들이 이따금 이언 건에 관해 질투심에서 비롯된 험담을 늘어놓는다고 해도 그들 마음속에 진짜 적대감 같은 것은 없었다.

여자들이 흩어지기 시작했다. "난 걸어갈게요." 앤절라가 트릭시에게 말했다. 올 때는 트릭시의 낡은 포드 밴을 타고 왔기 때문이었다.

"어리석은 소리 말아요." 트릭시가 말했다. 앤절라는 누군가 다시 한 번만 더 그녀에게 어리석다고 하면 눈물이 터질 것만 같은 기분이었다. "내가 앤절라를 얼마나 의지하는지 알잖아요. 우린 저항을 멈춰서는 안 돼요. 편지 같은 거 한 통 탁 보내 봤자 이언 건은 코도 찡긋하지 않았을 거예요. 그리고 난 얼른 가서 지난번 흡연 반대 운동 모임 회의록도 정리해야 하는데, 사실 난 타자 실력이 형편없거든요. 제발 나한테 화내지 말아요. 난 정말 당신에게 의지하고 있어요, 앤절라." 트릭시의 눈은 너무도 커 보였고, 마치 최면을 거는 듯했다. "다들 당신이 요즘 얼마나 많이 변했는지 한마디씩 하고 있잖아요. 심지어 며칠 전에는 웰링턴 부인까지도 당신이 예전보다 더 어려지고 더 예뻐 보인다고 말한걸요."

앤절라는 그 말에 마음이 녹아 버렸다. 남편은 지난번 그녀
가 하포 마르크스처럼 보인다고 언급하기 전까지는 결혼 생
활 내내 아내의 외모에 관해서 단 한 번도 언급한 적이 없었
다. 외모에 자신도 없고 예민하기까지 한 탓에 자기 자신에 관
해서는 단 한 번도 생각해 보지도 않았던 앤절라는 지배적인
성향의 트릭시에게는 상당히 쉬운 먹잇감이었다.

보일 듯 말 듯 미소 지으며, 그녀는 트릭시 옆자리에 올라
탔다.

이언 건은 그들이 멀어지는 것을 보며 말했다. "환경보호론
자들은 쥐 새끼처럼 약을 쳐서 다 잡아 버려야 해."

트릭시는 뒤쪽 정원에서 일을 하고, 폴은 호수를 바라보며
집 앞 담장에 올라앉아 있는 동안 앤절라 브로디는 타자기로
회의록을 작성했다. 그녀는 남편이 저녁 식사로 스테이크를
요구했다는 사실을 떠올리며 죄진 사람처럼 시계를 흘깃거렸
다. 정육점은 얼마 안 있어 문을 닫을 터였다. 그녀는 회의록을
가지런히 쌓아 올려놓은 후 트릭시에게 인사를 전해 달라고
폴에게 소리 지르며 부엌을 달려 나갔다. 그러면서 앤절라는
트릭시에게 또다시 불편한 감정을 느꼈지만, 억지로 그런 생
각을 내리눌렀다. 트릭시 덕분에 그녀의 생기 없던 일상이 다
채롭고 즐거운 사건들로 채워지지 않았는가. 앤절라는 깨끗해

진 집 안이 자랑스러웠고, 전에 없이 기운도 넘치는 것 같았으며, 힘든 일도 전혀 힘들지 않게 느껴졌다. 이제는 과거 오랫동안 그래 왔던 것처럼 게으르고 멍한 사람으로 다시 돌아갈 수는 없었다. 그러나 어쨌든 앤절라는 스테이크 고기를 샀다.

트릭시는 삽을 내려놓고 뒤쪽 정원에서 집을 빙 돌아 앞쪽으로 나아갔다. 프리실라 할버턴스마이스가 도로를 따라 걸어오는 모습이 보였다. 트릭시는 집 안으로 뛰어 들어갔다가 잠시 후 짙은 남색 스웨터를 어깨에 걸친 채 다시 밖으로 나왔다. 남편의 멍한 시선을 무시한 채 그녀는 프리실라가 다가오는 시점에 맞춰 도로로 걸어 나갔다. "안녕하세요, 프리실라." 그녀가 쾌활하게 인사했다.

"안녕하세요, 토머스 부인." 프리실라가 말했다. 그녀의 시선은 스웨터에 못 박혀 있었고, 약간 찌푸린 눈살 때문에 눈썹 위쪽의 매끄러운 피부가 찡그러져 있었다. "그건 해미시의 스웨터 같은데요."

트릭시가 어깨에서 스웨터를 들어 올려 프리실라에게 내밀었다. "그에게 도로 가져다주실래요? 내가 가져가기는 너무 쑥스러워서요."

"왜요?" 내민 스웨터는 무시한 채 프리실라가 물었다.

트릭시가 키득거리며 말을 이었다. "우리의 낭만적인 경찰나리께서 나한테 좀 반하신 모양이에요. 입으라고 이걸 내게 주더라고요. 왜 알잖아요, 미국 대학생 애들이 자기 여자 친구에게 미식축구 유니폼을 선물로 건네주는 것처럼 말이에요."

프리실라가 트릭시의 코를 내려다봤다. 그리고 쌀쌀맞게 "직접 가져다주세요"라고 말하며 트릭시 옆으로 돌아서 가던 길을 걸어갔다.

앤절라 브로디는 기다리고 또 기다렸지만, 남편은 집에 오지 않았다. 고양이는 개들과 나란히 벽난로 앞에서 잠들어 있었다. 다시 들어 올려져서 정원으로 내쫓길 때를 대비해 발톱은 카펫에 깊이 박아 넣은 채였다.

시계가 천천히 똑딱이며 시간의 흐름을 알려 왔다. 앤절라는 병원으로 전화를 걸었지만, 자동 응답기가 대신 전화를 받아 집 전화번호를 알려 줬다. 남편은 응급 환자가 있어서 나간 게 분명하다고 생각하면서도 이상하게도 그가 일부러 자신을 기다리게 하고 있다는 느낌이 들었다. 그녀는 책을 읽으려 노력했지만, 독서도 예전처럼 위안이 되지는 않았다.

앤절라는 텔레비전을 틀었다. 한쪽 채널에서는 정당 정책 방송이 흘러나왔고, 또 다른 채널에서는 부도덕한 방송이 흘러나왔으며, 세 번째로 돌린 채널에서는 뱀에 관한 야생동물 프로그램이 방영 중이었다. 그리고 네 번째에서는 검은색 타이츠를 신은 하얀 얼굴들이 등장해 귀를 긁는 듯한 음악에 맞추어 발레를 추었다. 그녀는 텔레비전을 꺼 버렸다. 그리고 싱크대 아래 찬장을 열고 걸레와 세제를 꺼내 집 안을 다시 청소하기 시작했다.

10시에 그녀는 경찰서로 전화를 걸었다. 해미시 맥베스는 자신이 의사를 찾아보겠다고 대답했다. 그녀는 해미시가 남편이 어디 있는지 이미 알고 있다는 느낌을 받았다.

10시 반에 부엌문이 열렸고, 남편이 걸어 들어왔다. 아니, 해미시의 부축을 받고 들어왔다. 남편은 아내를 보자 키득거리면서 〈로몬드 호수〉 곡조에 맞춰 "오, 내가 방금 트릭시 토머스를 죽였다네, 그 썩어 빠진 하피*는 죽어 버렸다네"라고 노래 불렀다.

"침대로 가세요, 선생님." 해미시가 말했다. "어서요. 침실이 어디예요?"

"2층요." 앤절라가 기어드는 목소리로 대답했다.

그녀는 남편이 트릭시를 죽이는 것에 관해 노래 부르는 소리를 들으며 가만히 기다렸고, 해미시는 참을성 있게 의사 선생을 달래 그가 침대에 눕게끔 했다.

앤절라는 남편이 술에 취한 모습을 마지막으로 본 게 언제

* 고대 그리스·로마 신화에 나오는, 여자의 머리와 몸에 새의 날개와 발을 가진 괴물이다.

였는지 정확히 기억할 수도 없었다. 그러나 트릭시는 그 모든 흡연과 쓰레기 같은 음식이 결국에는 남편의 건강을 악화시키고 말리라고 경고했었다. 앤절라의 마음 한구석에서는 남편이 술에 취할 수밖에 없도록 몰아간 자기 자신을 탓하는 작은 목소리가 끊임없이 울려왔지만, 그녀는 그 말을 듣지 않았다. 대신 소파에 앉은 채로 트릭시가 신은 것과 똑같은, 반짝거리는 하얀색 운동화를 신은 발을 허벅지 아래 밀어 넣고, 해미시가 내려오길 기다렸다.

트릭시 토머스는 남편의 건강을 위해 매정하게 굴 수밖에 없었다. 폴은 인버네스에 있는 치과에 죽어도 가려 하지 않았지만, 트릭시는 그가 반드시 가게끔 하겠다고 단단히 마음먹은 참이었다. 두 사람은 집 앞 정원에서 그 주제로 말다툼을 벌였고, 덕분에 점심때쯤에는 온 마을 사람이 그 일을 쑥덕거렸다.

"젖먹이 어린애도 아니고, 무슨 다 큰 어른이 치과 가는 걸 겁을 내나." 스물한 살에 치아를 다 뽑아야 했기에 그 후로는 치과 가는 일에 관해서는 걱정해 본 적도 없는 아치 매클레인이 야유를 보냈다.

폴은 어쩔 수 없이 차를 몰고 인버네스로 떠났다. 1시에 민박에 묵고 있는 케네디 부인이 말썽꾸러기 아이들을 데리고 로럴 민박으로 돌아왔다. 그녀는 트릭시를 살살 구슬려 자신과 아이들에게 샌드위치를 만들어 달라고 부탁해 볼 작정이었다. 계속 비가 내리고 있었기 때문에 아이들은 지루해서 잔뜩 짜증이 나 있었다. 그러나 트릭시는 어디에도 보이지 않았고, 그녀의 방 문은 잠겨 있었다.

앤절라 브로디는 2시에 로럴 민박을 찾아갔다. 케네디 부인은 신이 나서 찬장을 뒤지는 중이었다. "토머스 부인은 낮잠을 자고 있을 거예요." 그녀가 말했다. "아무리 불러도 대답이 없어요."

앤절라는 층계를 달려 올라가서 트릭시의 방 문을 두드렸다. 트릭시는 남편과 각방을 사용했다. 집 안에 있는 방이란 방은 투숙객에게 모두 내주어야 할 만큼 살림이 궁색하다고 주장했던 부부가 누리기에는 이상하기 그지없는 사치였다. 앤절라는 잠시 주저했다. 그러다가 더 크게 방문을 두드리고 트릭시를 부르다가 잠시 기다렸다. 아무 소리도 들리지 않았다.

로럴 민박은 상당히 크고 사방으로 넓게 뻗은 빅토리아 양식의 빌라였다. 커다란 파리 한 마리가 층계참에 있는 스테인드글라스 창에서 단조롭게 윙윙거렸다. 그 아래쪽에서는 케네디 부인의 아이들이 "젤리 더 먹을래" 하고 소리 지르며 울고 있었는데, 그 말은 잼 바른 샌드위치를 더 달라는 의미였다.

앤절라는 폴이 인버네스에 있는 치과에 가고 없다는 것을 알았다. 모두가 그 사실을 알고 있었다.

트릭시의 방 문 뒤쪽의 고요함은 너무도 이상하게 느껴졌다.

문득 불길한 느낌이 들었다. 그녀는 고함을 지르며 문을 더 세게 두드렸다.

그리고 다시 기다렸다. 역시 아무 소리도 들리지 않았다. 이제는 케네디 가족도 조용히 귀를 기울이고 있었다. 파리만이 창문에 부딪히며 윙윙거렸고, 떨어지는 빗물이 지붕을 두들겨 댔다.

앤절라는 도움을 청하러 가야겠다고 마음먹었다. 만약 사람들을 데리고 와서 방문을 부수고 들어갔는데, 그 안에서 트릭시가 곤히 잠들어 있는 걸 발견하게 된다면 자신은 웃음거리가 되고 말 터였다. 하지만 그녀는 괜히 바보 취급을 받을까 봐 두려워서 남의 일에 참견하지 않았다가 오히려 누군가의 죽음을 방치한 셈이 되어 버린 사람들에 관한 얘기를 신문에서 읽었던 기억이 났다.

앤절라는 해미시의 비웃음을 각오하고 있었지만, 그는 챙이 달린 모자를 눌러쓰고 로럴 민박으로 그녀를 따라나섰다. 그의 얼굴은 침울해 보였고, 기분도 착 가라앉은 듯했다. 해미시는 묘하게도 불길한 기분이 드는 건 날씨 탓이 분명하다고 생각하려 애썼다. 각다귀가 빗속에서 춤추며 그의 얼굴로 달려들었고, 그는 거의 반사적으로 주머니를 뒤져 기피제를 꺼냈다.

순경은 층계 아래 모여 서 있는 케네디 가족을 지나쳐서 위
층으로 올라갔다. 아이들마저도 잼으로 범벅된 얼굴을 들어
위층을 올려다보며 조용히 서 있었다.

그는 트릭시의 방 앞으로 가서 문을 두드렸다. 그러고는 고
개를 돌려 방 안의 정적에 귀를 기울였다.

"뒤로 물러서세요." 그가 무뚝뚝하게 말했다.

해미시는 있는 힘껏 문을 걷어찼다. 나무가 쩍 갈라지는 소
리와 함께 문이 벌컥 열렸다.

트릭시 토머스가 침대에 반쯤 몸을 걸친 채 쓰러져 있었다.
머리는 얼굴 위로 산발이 되어 흩어진 모습이었다. 그가 조심
스럽게 머리카락을 뒤로 쓸어 넘긴 뒤 뒤틀린 트릭시의 얼굴
을 내려다보고는 맥을 짚었다.

"브로디 선생님을 불러오세요." 그가 어깨 너머로 말했다.

"트릭시가……?" 앤절라가 손으로 입을 막았다.

"맞아요. 그렇지만 어쨌든 불러오세요."

앤절라는 층계를 달려 내려가 부둣가를 따라 병원을 향해
뛰어갔다. 빗줄기가 얼굴 위로 눈물처럼 흘러내렸지만, 정작
그녀는 울 수가 없었다.

접수대를 빠르게 지나쳐 가자 접수 직원이 무슨 말인가 했
지만, 앤절라는 진료실로 달려 들어갔다.

"빨리 가야 해요." 앤절라가 외쳤다.

브로디 선생은 청진기로 웰링턴 부인의 벗은 가슴을 짚어 보는 중이었다. 그 상황에서도 앤절라의 머릿속에는 그렇게 거대한 가슴은 한 번도 본 적이 없다는 생각이 불쑥 들었다.

"브로디 부인!" 분노한 목사의 아내가 거의 해먹 크기만 한 브래지어를 손으로 움켜잡으며 꽥 소리를 질렀다.

"트릭시가, 트릭시가 죽었어요." 앤절라가 말했다. 그러자 비로소 눈물과 함께 목이 멜 듯한 흐느낌이 흘러나왔다.

"세상에, 세상에." 웰링턴 부인이 재빨리 속옷을 착용하고 겉옷을 입으며 말했다.

브로디 선생은 가방을 집어 들고 진료실을 달려 나가 차로 향했다. 해미시는 트릭시의 침실에서 그를 기다리고 있었다. "가능하면 시체는 움직이지 말아 주세요." 의사를 보자 그가 말했다. "전 집 주변을 좀 둘러보고 있을게요."

의사는 아주 잠깐 방 안에 머물러 있었을 뿐이다. 브로디 선생이 밖으로 나왔을 때, 해미시는 복도를 걸어오고 있었다.

"사망 확인서를 써야겠네." 의사가 말했다. "의심할 여지 없이 심장마비야."

해미시가 눈을 가늘게 뜨고 조용히 말했다. "방으로 들어가서 다시 확인해 보세요. 혹시 독극물 중독일지도 모릅니다. 내가 보기에는 그렇거든요.

이건 살인 사건이에요, 선생님. 누가 봐도 확실한 살인 사건
입니다!"

제4장

완벽의 극치.
올리버 골드스미스

트릭시가 사망한 다음 날, 날씨는 완벽했다. 구름이 물러나고 물기를 머금은 반짝이는 대지 위로 햇살이 내리비쳤다. 해미시 맥베스가 스트래스베인의 법의학 연구소에서 소식이 오기를 기다리는 동안, 경찰서 문을 타고 오른 만개한 덩굴장미 사이로 벌들이 윙윙거리며 날아다녔다.

그는 브로디 선생을 시작으로 마을 사람들에게 수도 없이 많은 질문을 해야 했다. 왜 의사 선생은 그토록 빨리 심장마비라는 진단을 내려 버린 걸까? 하지만 해미시는 어쩌면 트릭시의 사인이 식중독일 수도 있다는 가느다란 희망을 버리지 않았다.

그는 데이비엇 총경을 찾아가 자신이 의심하는 바를 보고했다. 해미시가 호텔에 도착했을 때, 총경은 휴가를 마치고 집으로 돌아가기 위해 짐을 싸는 중이었다. 그리고 놀랍게도 그는 트릭시가 죽었다는 소식을 대수롭지 않게 받아들였다. 해미시는 자신이 할버턴스마이스 대령의 집에서 저녁을 먹는 동안 보여 주었던 얼빠진 행동 탓에 총경도 블레어 경감의 관점을 받아들이기 시작했다는 사실을 아직 모르고 있었다. 다시 말해, 데이비엇 총경도 이제는 해미시 맥베스라는 사람이 어딘가 한 군데 모자란 인물이 틀림없다고 생각했다.

하지만 총경은 로럴 민박으로 몸소 찾아갔고, 감식반이 정밀 분석을 위해 부엌에 있는 모든 것을 연구소로 다 가지고 갔다는 사실에 만족해하며 떠나갔다.

해미시는 폴 토머스에게 아내의 사망 소식을 전하던 그 끔찍한 순간만 떠올리면 지금도 온몸이 떨렸다. 거구의 사내는 당장에라도 옷 속에서 부스러지고 시들어 버릴 듯이 보였다. 브로디 선생은 그에게 진정제를 주었다. 트릭시의 팬클럽 회원들은 아내를 떠나보낸 가여운 남편을 위로하기 위해 모두 모여 있었다.

블레어 경감도 즉시 도착했다. 하지만 이번 사건은 지난번 로흐두에서 일어났던 두 건의 살인 사건과는 달리 언론의 대대적인 관심을 끌어 기자들을 불러 모을 것 같지는 않았다. 그건 트릭시의 죽음이 살인 사건으로 판명 난다고 해도 달라지지 않을 터였다. 고지 가정주부의 살인 사건은 지역 언론에서나 관심을 보일 만한 사안이 아니던가.

해미시는 낡아서 너덜너덜해진 휴대용 접의자를 집어 들고 경찰서 앞 정원으로 나가서 햇살 아래 펼쳐 놓았다. 왜 트릭시는 로흐두 여자들을 그런 식으로 휘어잡으려 했을까? 해미시는 궁금했다. 물론 그녀는 상당히 개성이 강한 여자였다. 그리고 마을 여자들은 대부분 구식에 고루한 성향이었다. 다시 말해, 직업을 가지고 돈을 버는 사람들이 아니라 가정주부가 대부분이었다. 로흐두에는 영화관도 없고 극장도 없고 디스코장도 없었으며, 파티도 열리지 않았다. 텔레비전의 경이로움은 예전에 사라지고 없었다. 그런 그들에게 트릭시가 어떤 목적의식을 심어 준 것이라고 해미시는 결론 내렸다. 그들은 가정주부를 하찮게 여기도록 가르치는 시대에도 여전히 가정주부일 수밖에 없는 사람들이었다. 대가족 시대는 지나간 지 오래였다. 이제 시간은 여자들의 손 위에 무겁게 얹혀 있을 게 분명하다고 해미시는 생각했다. 그로 말할 것 같으면, 아무 때나 기회만 있으면 햇살 아래 게으르게 늘어져 있어도 상관없었다. 경찰 업무가 없을 때면 그는 정원도 가꾸고 양도 키우고 닭도 돌봤다. 그의 애정을 갈구하는 유일한 대상은 타우저뿐이었다. 그는 아래로 손을 뻗어 개의 귀를 긁어 주었다. 남편이 죽고 나서도 로흐두 여자들은 즉각 일자리를 찾아 인버네스나 스트래스베인으로 나가는 일이 없었다. 대부분은 학교를 졸업하자마자 결혼을 했고, 한평생 직장이라고는 다녀 본 적이 없었다. 물론 대부분이 매우 열심히 일하며 살았다. 정원 일도 여자들이 거의 다 했고, 남편이 소작농이면 아내가 감수해야 하는 작업량도 남편과 별반 다르지 않았다. 그러나 기나긴 겨울이 오면 모든 것이 서서히 멈추었고, 그들은 노동의 대가를 받지 못했다. 그들이 하는 모든 일은 그저 아내의 의무로 치부될 뿐이었다.

그가 아는 바에 따르면, 마을 남자 대부분은 사랑해서가 아니라 그들의 어머니가 죽었기 때문에, 혹은 밥도 해 주고 셔츠도 다려 주는 누군가가 있는 가정을 원하기 때문에 결혼했다.

앤절라 브로디에 관해서는 프리실라의 말이 맞았다. 그녀에게는 학자 기질이 있었다. 똑똑하기는 했지만, 도대체 상식이라고는 없었다. 따라서 사람을 판단하는 데는 젬병이었다. 해미시는 브로디 부부 둘 다를 위해서라도 부디 앤절라가 예전의 그녀로 돌아가 주길 간절히 희망했다. 하지만 그렇게 될까? 그녀는 이미 책 바깥의 관심사에 익숙해지지 않았는가.

해미시는 일어나서 천천히 사무실로 걸어 들어가 전화번호부 파일을 찾기 시작했다. 언젠가 쓸모가 있을지도 모른다는 생각에 기회가 있을 때마다 하나둘씩 전화번호를 적어 모아 두었던 파일이었다. 마침내 그는 원하던 것을 찾았다. 그리고 밀턴케인스에 있는 개방대학에 전화를 걸어 자신이 이학 학위를 받고 싶어 하는 브로디 부인을 대신해 전화를 걸었다고 말하며, 그녀에게 필요한 서류를 우편으로 보내 줄 수 있는지 물었다. 수화기를 내려놓았을 때, 그는 만족감을 느꼈다. 집에서 대학 공부를 하는 것이 앤절라 브로디에게 딱 어울리는 일이며, 이학 학위가 그녀에게 어려우면서도 실용적인 뭔가를 할 기회를 제공하리라는 생각이 들었다. 개방대학은 남녀 상관없이 누구든 집에서 대학 학위를 딸 수 있게 해 주었다.

그는 다시 접이식 의자로 돌아갔다.

의자에 등을 기대고 앉아 눈을 감은 후, 마을에서 들려오는 소리에 귀를 기울였다. 호수에 떠 있는 배에서 보조 엔진이 통통거리며 돌아가는 소리, 라디오에서 간헐적으로 들려오는 노랫소리, 자유롭게 날아다니는 갈매기의 날카로운 울음소리, 뒤쪽 언덕을 천천히 올라가는 차량이 내는 낮은 부르릉 소리들이 들렸다. 종달새의 지저귐은 들리지 않았다. 그는 안타까운 마음이 들었다. 어린 시절에는 흔히 들을 수 있던 소리였다. 그 자체가 여름의 소리였고, 천국으로 올라가는 소리이자, 영광의 빛을 폭포처럼 쏟아 내는 소리이기도 했다. 종달새가 주위에서 지저귀는 한은 그 어떤 사람도 무신론자로 남아 있을 수 없을 터라고 그는 꿈꾸듯이 생각했다.

"꼬락서니하곤, 아주 눈 뜨고 못 봐 주겠군." 거친 목소리가 들리더니 그림자 하나가 그의 위로 떨어졌다.

해미시는 눈을 뜨고 힘겹게 몸을 일으켜 세웠다. 태양을 가로막고 서 있는 커다란 덩치는 블레어 경감이었다. 그의 뒤에는 늘 따라다니는 두 명의 부하 직원, 지미 앤더슨과 해리 맥내브 형사가 서 있었다.

블레어는 심사가 잔뜩 뒤틀려 있었다. 데이비엇 총경이 로흐두 호텔은 가격이 너무 비싸니 블레어와 그의 팀원들은 스트래스베인에서 매일 통근을 하라고 일러둔 탓이었다. 따라서 그들은 구불구불한 고지대 도로를 매일 한 시간 반씩이나 운전해 와야 했다. 해미시가 햇살 아래 사지를 뻗고 편안하게 누워 있는 모습은 그런 그의 기분을 전환하는 데 아무 도움도 되지 않았다.

"연구실 보고서가 나왔네." 블레어가 말했다. "그 토머스라는 여자는 비소 중독으로 죽었어."

"비소였어!" 해미시는 벌떡 일어섰다. "어디 들어 있는 비소요? 쥐약입니까?"

"일단 내가 아는 한은 순수 비소를 먹은 것 같네." 블레어가 말했다.

"위에 들어 있던 내용물은 뭡니까?"

"카레, 쌀밥, 빵, 케이크. 연구원들은 카레에 들어 있었을 것으로 추정하고 있네."

해미시는 잠시 망설였다. 의사 선생의 의심스러운 행동에 관해 블레어에게 보고하는 건 자신의 의무였다. 하지만 그는 브로디 선생을 좋아했다. 그러기에 그가 블레어에게 협박당하는 상황은 떠올리기도 싫었다. 그러나 한편으로는 브로디 선생이 자기 앞가림은 충분히 할 수 있는 사람이라는 생각도 들었다. 어쩌면 그냥 의사 선생과 면담을 해 보는 게 어떻겠냐고 제안해 주는 게 최선일지도 몰랐다.

"이 얘기는 해 드리는 게 좋을 것 같네요." 해미시가 말했다. "처음에 토머스 부인의 시신을 확인했을 때 브로디 선생은 그녀의 사인이 심장마비라고 하면서 그대로 사망 확인서에 서명하려고 했는데, 제가 못 하게 했습니다."

"뭐라고!" 블레어의 돼지 눈이 반짝거렸다.

"그러니 제가 병원으로 찾아가서 그를 만나 봐야 할 것 같아요." 해미시가 말했다.

"내 말 잘 듣게, 순경. 자네는 시골 동네에서 해야 할 의무나 충실히 이행하라고." 블레어가 뚱뚱한 얼굴에 한껏 미소를 지으며 말했다. "그렇지만 이번에는 자네도 사건 수사에 끼워 주긴 할 거야. 내일 인버네스로 가서 폴 토머스를 진료했던 치과 의사의 진술을 받아 오게."

"인버네스 경찰서에 전화 한 통만 하면 바로 처리할 수 있는 일이잖아요." 해미시가 놀라서 말했다.

"하라면 하지 무슨 잔말이 그리 많아." 블레어가 꽥 소리 질렀다. 그러고는 두꺼운 트위드 재질의 양복 아래 땅딸막한 체구에서 땀을 뻘뻘 흘려 대며 성큼성큼 걸어갔고, 그 뒤로 형사들이 따라갔다.

해미시는 한숨을 쉬었다. 그냥 인버네스에서 쾌적한 하루를 보내는 것을 기대해 보는 게 낫겠다는 생각이 들었다. 이번 사건은 블레어가 해결하도록 내버려 두는 것이다. 사실 그는 누가 트릭시를 살해했는지에는 그리 신경이 쓰이지도 않았다.

하지만 도로 쪽을 바라보자, 폴 토머스가 정원 담벼락 위에 구부정하게 걸터앉아 있는 모습이 눈에 들어왔다. 그는 폴과 대화를 나눠 보려고 타우저를 데리고 그쪽으로 출발했다.

하지만 그가 폴이 있는 곳에 미처 가 닿기도 전에 글래스고에서 온 케네디 부인이 그를 불러 세웠다. "우리가 얼마나 오래 여기 머물러 있어야 하는 거죠?" 그녀가 불평을 늘어놓았다. "애들을 글래스고로 데려가야 한단 말이에요."

"며칠만 더 머물면 될 겁니다." 해미시가 말했다.

"그렇지만 우린 휴가를 즐기는 중인데, 경찰이 부엌에 있는 걸 다 가져가 버린 탓에 내가 요리도 직접 해야 하고, 식료품도 내 돈으로 다 사야 한다고요. 그래서 토머스 씨에게 내게 숙박비 받을 생각은 꿈에도 하지 말라고 경고했어요." 그녀는 뚱뚱하고 불평이 많은 여자로 진흙색 원피스를 입고 투실투실한 발에는 실내에서 신는 슬리퍼를 신고 있었다. 아이들은 하나같이 여섯 살쯤 돼 보였지만, 다 같은 나이일 리는 만무했다. 얼굴은 모두 창백하고 초췌했으며 눈은 굉장히 나이 들어 보였다. 세 명의 소년은 엘비스, 클라크, 그레고리였고, 여자아이 이름은 수전이었다.

해미시는 그들이 돌아갈 수 있게끔 자신이 무엇을 할 수 있을지 알아보겠다고 약속했다. 그러고는 폴과 대화를 나누기 위해 걸어갔다. 폴은 멍한 눈으로 그를 바라봤다.

"끔찍한 일이에요." 해미시가 조심스럽게 말을 꺼냈다.

폴의 눈에 눈물이 가득 차올랐다. "대체 누가 이런 짓을 저질렀을까요? 모두 트릭시를 사랑했어요."

"여긴 작은 마을이니 곧 범인을 찾을 겁니다." 해미시가 위로하며 말했다.

폴이 해미시 양어깨에 손을 올려놓았다. "당신이 찾아 주세요. 그 멍청한 블레어 경감에게 맡겨 두지 말아요."

"약속할게요." 해미시가 부드럽게 말했다. "누가 곁에서 돌봐 주고 있나요?"

"마을 사람들이 모두 친절하게 돌봐 주고 있어요." 양 볼로 눈물이 흘러내리자, 폴이 소맷부리로 눈물을 닦으며 대답했다.

"오면서 케네디 부인은 만났는데, 다른 투숙객은 어디 있나요?"

"아, 그요? 이 근방 어딘가에 있을 겁니다."

"꽤 오래 머무는군요. 직업은 뭐래요?"

"글을 쓰나 봐요. 밤낮없이 타자기를 두들겨 대더라고요."

"이름이 뭐였죠? 잊어 먹었어요."

"존 파커."

"아, 맞다. 그 사람하고도 얘기를 좀 나눠 봐야 할 것 같아서요. 가서 좀 눕는 게 어때요? 몰골이 형편없어요."

"누워 있을 수가 없어요." 폴의 얼굴이 슬픔으로 뒤틀렸다. "눈만 감으면 아내의 죽은 얼굴이 보여요."

"음, 그렇다면 몸을 좀 피곤하게 하는 게 좋겠네요. 지금도 채소밭 가꾸는 일 하고 있어요?"

"얼마 전까지는 했는데, 트릭시가 자기가 하겠다고 해서 넘겨줬어요. 아내가 나보다 훨씬 잘하는 것 같기도 했고요. 그래서⋯⋯"

"그럼 뒤로 돌아가서 한번 살펴보죠." 해미시가 말했다.

두 남자는 집을 돌아 뒤쪽 정원으로 걸어갔다. "거의 건드리지도 않은 것 같은데요." 해미시가 말했다. "저 잡초 좀 봐요. 이걸 다시 시작해 보는 건 어때요?" 폴이 천천히 고개를 끄덕이고는 심어 놓은 채소들 사이에서 잡초를 뽑기 시작했다.

그때 차가 도착하는 소리가 들려왔고, 해미시는 폴의 곁을 떠나 집 앞으로 걸어갔다. 작가라는 존 파커가 막 차에서 내리고 있었다.

"정말 끔찍한 일이에요." 그가 해미시를 보고 말했다.

"CID*에서 살인 사건이 일어난 날 선생님의 행적에 관해 질문하고 갔나요?" 해미시가 물었다.

"아직요."

"그럼 곧 찾아오겠네요. 작가시라면서요? 집에 있는 책장에서 존 파커라는 이름을 본 적이 있나 기억해 보려 애쓰는 중입니다."

"음, 못 봤을 거예요. 브렛 새들러라는 필명을 사용하고 있거든요."

"선생님이 브렛 새들러라고요? 그 서부 소설 쓰시는 분요?"

"네, 맞아요." 존이 살짝 미소 지으며 대답했다.

"난 지금까지 브렛 새들러가 미국 사람일 거로 생각했어요."

"난 늘 서부극을 좋아했거든요." 존이 말했다. "아마 지금까지 나온 서부영화란 영화는 다 봤을 겁니다. 내가 그런 영화에 질 좋은 구식 소재들을 제공한다고 할 수 있죠. 사실 내 작품이 곧 영화화될 예정이에요. 마지막에 쓴 작품의 영화 판권을 팔았거든. 그래서 이렇게 긴 휴가를 즐길 수 있는 거고요."

* Criminal Investigation Department. 영국 범죄 수사부이다.

"세상에! 이제 백만장자가 되셨겠군요."

"그거하고는 거리가 멀어요." 존이 말했다. "2만 5천 달러를 받았는데, 문인 대리인 수수료 제하고 영국 세금 떼고 나면 사실 남는 것도 없어요. 트릭시가 죽었을 때 내가 어디 있었는지 알고 싶으신 거죠? 산 위쪽으로 차를 몰아가고 있었어요. 산 위에 올라가 있는 걸 좋아하거든요. 정말 고요해요."

"누가 본 사람 있나요?"

"아니요, 아무도 마주치지 않았어요." 그가 쾌활하게 말했다.

"혹시 토머스 부인이 먹었다는 카레를 그녀 말고도 먹은 사람이 있나요?"

"글쎄요, 아마 없을 겁니다. 트릭시는 점심으로 그걸 먹은 게 분명해요. 케네디 부인 가족은 샌드위치를 먹었어요. 케네디 부인은 카레가 외국에서는 가축 사료로 쓰인다고 주장하더라고요. 나는 여기 없었고, 폴은 인버네스에 있었잖아요."

"그럼 감식반이 카레를 조리한 냄비는 찾아냈나요?"

"아니요, 부엌에 있는 모든 조리 도구는 깨끗이 설거지가 돼 있었어요. 트릭시는 완벽한 가정주부였잖아요."

"전부터 부인과 아는 사이였습니까?"

"아니요. 나는 이만 들어가서 글을 좀 써야 할 것 같네요." 그가 천천히 손을 흔들면서 집 안으로 들어갔다.

그 모습을 보며 해미시는 트릭시와 손을 잡았던 아치 매클

레인을 떠올렸다. 그 소문은 로흐두 전역에 퍼져 있었다. 매클
레인 부인도 그 사실을 알고 있을까?

그는 해안가를 따라 걸어가던 중에 프리실라의 볼보 자동
차가 천천히 다가오는 것을 보았다. 문득 프리실라가 그의 곁
을 그대로 지나쳐 갈 것 같다는 불길한 예감이 들었기에 그는
길 한가운데로 들어가 손을 흔들며 차를 막아섰다.

"무슨 일인가요, 경관님?" 프리실라가 물었다. "과속으로 차
를 세운 건 아닌 것 같은데요."

"그냥 얘기나 좀 나누려고요."

"지금 좀 바빠요."

"이런, 이런. 대체 무슨 일이에요. 눈초리가 꼭 북극해처럼
차갑잖아요."

프리실라는 핸들 위에 손을 올려놓은 채 앞만 빤히 바라봤
다. 그녀는 스웨터에 관해 트릭시가 들려준 이야기 때문에 해
미시에게 화가 나 있었다. 트릭시가 거짓말을 한 게 분명하다
는 사실을 모르지는 않았지만, 그래도 과거 해미시가 여기저
기 추파를 던지고 다녔던 사실을 떠올리지 않을 수가 없었다.
프리실라는 자신이 해미시 맥베스에게 끌리고 있다는 사실을
전혀 인식하지 못했다. 해미시가 자기를 좋아한다는 것은 알
았지만, 그가 이따금씩 그녀를 어린 철부지처럼 생각한다고
간주했다.

프리실라가 대답이 없자 해미시가 말했다. "누군가 당신에게 계속 짜증 나는 얘기를 들려주는 모양이네요. 당신 아버지는 아닐 겁니다. 나에 관해서라면 그분은 이미 해야 할 말을 다하고 더는 할 말도 없을 테니까요. 자, 그럼 그게 누굴까요?"

"당신이 트릭시에게 잘 보이려고 바보짓을 했다는 느낌이 드네요."

"로흐두에서 그 여자를 도저히 참아 낼 수 없었던 유일한 사람인 내가 그랬다는 거군요. 아, 물론 브로디 선생을 제외하면요."

"그 여자가 당신 스웨터를 입고 있는 걸 봤어요." 프리실라가 말했다. "그 여자 말로는 당신이 준 거라고 하더군요. 어떻게 좀 수작을 붙여 볼까 하면서요."

"난 그 여자에게 아무것도 안 줬어요." 해미시가 놀라서 말했다. 그는 인상을 찌푸리다가 말을 이었다. "무슨 일인지 알겠어요. 트릭시가 당신 아버지 차를 타고 나갔던 날 있잖아요. 아마도 그때 당신 아버지가 당신이 마을 순경하고 사랑의 도피 행각이라도 벌일까 봐 걱정하고 있다는 걸 그 여자에게 말한 것 같네요. 그날 트릭시가 나를 찾아와서 화장실에 잠깐 다녀오겠다고 하고는 안으로 들어가더니 오랫동안 밖으로 나오지 않았거든요. 그러더니 앞문으로 나갔더라고요. 분명히 그때 내 스웨터를 집어 갔을 겁니다. 당신을 짜증 나게 하려고 그랬겠죠." 그가 차에 기대섰다. "그런데 정말 당신이 그 일 때문에 짜증이 난 거라면, 난 오히려 기분이 좋은데요."

"내가 짜증이 난 건, 내 친구 중에 누구라도 그런 여자에게 반해서 어리석은 짓을 하고 다니는 걸 보고 싶지 않기 때문이에요." 프리실라가 대꾸했다. "나 얼른 가야 해요, 해미시. 지금쯤 집에 도착했어야 하거든요."

"내일 경찰서에 들르지그래요. 함께 얘기나 나누자고요."

"안 돼요. 내일이 연례 차량 정기 검사일이라서 차를 골스피로 가지고 가야 해요. 다른 정비소는 믿을 수가 없거든요. 어쨌든 차를 거기에 맡겨 두고 인버네스까지 기차를 타고 가서 엄마에게 줄 선물도 사야 해요."

"나도 내일 인버네스에 가요." 해미시가 말했다. "몇 시에 기차를 탈 거예요?"

"12시 30분요."

"기차역에서 만나면 어때요? 함께 점심 먹고 내 차를 타고 이리로 오면 되겠네요." 해미시는 초조하게 대답을 기다렸다.

"좋아요." 프리실라가 말했다. "이제 길 좀 비켜 주실래요?"

해미시는 뒤로 물러서서 미소 띤 얼굴로 차가 멀어지는 모습을 지켜봤다.

그러고 나서 그는 매클레인 부인을 방문하기로 마음먹었다. 매클레인 부인은 박쥐 보호 시위 현장에 나타나지 않은 여성 가운데 하나였다. 트릭시의 영향력은 중산층과 하위 중산층까지만 뻗쳐 있었다. 그들의 부엌은 노동력을 절약해 주는 다양한 장치들로 꽉 차 있었기에 시간을 내기가 훨씬 수월했다.

매클레인 부인은 무릎을 꿇고 앉아서 부엌의 판돌 바닥을 암모니아로 벅벅 문질러 닦고 있었다. 걸레와 최신 세제를 이용해 손쉽게 청소하는 방법은 그녀에겐 먼 나라 얘기였다.

라디오에서는 스코틀랜드 컨트리댄스 음악이 쾅쾅 울려 나오고 있었다. 해미시는 매클레인 부인을 불렀지만, 그녀는 듣지 못했다. 그래서 그는 라디오를 꺼 버렸고, 그제야 그녀가 고개를 들었다.

"무슨 일이에요, 아무짝에도 쓸모없는 양반 같으니라고." 그녀가 거칠게 걸레를 쥐어짜 양동이에 던져 넣으며 말했다.

해미시는 한숨을 쉬었다. 대체로 법을 잘 지키는 작은 마을에서 경찰 노릇을 하는 데 있어서 문제점은 경찰이라는 존재가 누구의 마음에도 두려움이나 공포심을 불러일으키지 못한다는 것이었다.

"트릭시 토머스의 죽음에 관해 좀 조사할 게 있어서요."

"왜요?" 매클레인 부인이 뒤로 주저앉으며 물었다. "그 여자는 죽는 게 돕는 건데."

"그럴지도 모르죠. 하지만 부인이 그 여자를 좋아할 이유가 하나도 없다는 사실은, 다시 말해, 부인도 내 용의자 중의 한

114

명이라는 의미거든요." 그가 매클레인 부인을 근엄한 표정으로 바라봤지만, 그녀는 깔보듯이 콧방귀를 뀌었다.

"그 여편네가 덜떨어진 내 남편한테 꼬리를 쳤어요. 그 인간은 그 여자가 자기를 좋아한다고 생각했을 테지만, 그 비렁뱅이 같은 여편네는 그저 어떻게 공짜 생선이나 몇 마리 얻어 볼까 하고 마음에도 없는 수작을 부린 거라고요. 차에서 설탕을 걷어 내 봐요, 그 맛이 얼마나 쓴가. 토머스 부부는 전혀 가난하지 않아요. 그게 내 생각이에요. 그렇지만 늘 자기들이 돈에 쪼들리는 것처럼 떠들고 다니면서 공짜로 얻을 수 있는 거라면 뭐든 가리지 않고 챙겨 갔다고요. 목사 부인은 그 여자가 아주 완벽한 가정주부인 것처럼 여기저기 말하고 다녔죠. 내 생각에 그 여자는 다른 사람들이 자기를 위해 일하게 하는 데는 일가견이 있었던 것 같아요. 웰링턴 부인이나 브로디 부인은 사실 할 일이 많지 않은 사람들이에요. 전자레인지며 세탁기 같은 게 있는데, 할 일이 뭐가 그리 많겠어요. 부끄러운 줄 알아야죠."

나무를 때는 화로에 얹어 둔, 시트를 삶는 커다란 구리 냄비 속에서 표백제의 지독한 냄새가 스멀스멀 피어올랐다. 매클레인 부인은 '표백'으로 유명한 사람이었다. 집 안에 천이란 천은 전부 팔팔 삶아서 좀 더 하얘지라고 해가 좋은 날이면 정원 덤불 위에 펼쳐 널어놓곤 했다. 어쩌면 그래서 아치 매클레

115

인의 옷이 늘 그에게 너무 꽉 끼는 듯 보이는지도 모르겠다고 해미시는 생각했다. 아마 그녀는 그의 양복도 삶을지 몰랐다.

"음, 곧 형사들도 면담하러 찾아올 겁니다." 해미시가 말했다. "토머스 부인이 살해당했을 때 부인이 어디 있었는지 물어볼 거예요."

매클레인 부인은 다시 바닥 솔을 집어 들더니 이미 깨끗해진 바닥을 문지르기 시작했다. "물어보라 그래요." 그녀가 말했다. "나는 온종일 여기 있었으니까. 옆집 사람들도 내가 집과 정원을 계속 오가는 걸 봤어요."

"그럼 아치는요?"

"그물 널고 있었어요."

해미시는 문득 브로디 선생이 노래 부르던 모습이 떠올랐다. 트릭시가 죽어 차갑게 변하는 내용의 노래였다. 그는 블레어에게도 그 사실을 일러 줬어야 했다는 생각이 들었다. 빌어먹을 블레어.

"어쨌든," 매클레인 부인이 바닥 닦는 걸레를 집어 들어 꽉 짜서는 젖은 바닥을 문질러 닦으며 말을 이었다. "당신네도 그 여자 남편이 바로 자기 아내를 죽인 범인이라는 사실을 곧 알게 될 거예요."

"그는 인버네스에 있는 치과에 있었습니다."

매클레인 부인이 코웃음을 쳤다. "그건 그 사람 말이고."

해미시가 정원 문을 막 나섰을 때 음악 소리가 쾅쾅 울려 나오기 시작했다. 매클레인 부인이 다시 라디오를 튼 모양이었다.

그는 폴에게 했던 약속을 떠올렸다. 로흐두 어딘가에 살인범이 있다. 하지만 그런 일이 일어났다는 사실을 실감하기란 쉽지 않았다. 흠잡을 데 없이 아름다운 풍경 위로 햇살이 내리비치고 있었다. 해안가를 따라 서 있는 18세기 양식의 집들이 빛을 받아 하얗게 반짝였다. 장미 향이 공기 중에 떠다녔고, 잔잔한 호수 표면에는 언덕과 숲과 형형색색 칠해 놓은 낚싯배의 선체가 반사돼 비쳤다.

트릭시가 죽자, 그녀와 함께 마을에 감돌던 사악한 기운도 사라졌다. 하지만 그녀는 악한 여자는 아니었다. 그리고 로흐두 여자들도 때가 되면 그녀의 본모습을 알아볼 수 있었을 터였다.

블레어와 두 형사가 차로 마을을 벗어나는 모습이 보였다. 그는 브로디 선생의 병원으로 걸어갔다.

브로디 선생은 잠시 대화 나눌 시간은 있다고 말하며 해미시를 안으로 맞아들였다. "조용한 날이군." 해미시가 진료실로 걸어 들어가자 그가 말했다. "월요일은 다들 허리 통증을 안고 찾아오는 가장 바쁜 날이거든. 그게 일종의 고지 질병이라네. 매주 월요일 아침이면 모두 요통이 심해져서 나를 찾아

117

오는데, 부디 병원 앞에 긴 줄이 늘어서 있어서 일하러 나가지 않아도 되기를 바란다네."

"블레어와의 면담은 어땠습니까?" 해미시가 물었다.

"내게 겁을 주려고 애를 쓰더군. 체포하겠다고 으름장을 놓더라고. 내가 심장마비라는 진단을 내렸다는 걸 그에게 말했다면서?"

"얘기해야만 했어요." 해미시가 조용히 말했다. "왜 그러신 거예요?"

"그 비곗덩어리 같은 인간에게도 이미 말했지만, 내가 보기에는 꼭 심장마비 같았네."

"아, 이러지 마세요." 해미시가 화가 나서 말했다. "심장마비하고는 비슷해 보이지도 않았어요. 진실을 말해 보세요. 내 눈에도 끔찍해 보였다고요. 그제 밤에 선생님은 완전히 고주망태로 취해서 트릭시를 죽이는 방법에 관해 노래 불렀잖아요. 그녀의 본명이 알렉산드라라는 사실을 알고 계셨어요?"

"알고 있었지. 하지만 그 여자는 그런 식의 여자라네. 아니, 그런 식의 여자였지. 트릭시 같은 이름이 귀엽다고 생각하는 그런 여자. 저기, 해미시, 내가 지금 해 주는 얘기는 블레어에게는 하지 말게. 물론 필요하다고 생각되지 않는 한은 말일세. 나도 그녀가 독살됐다는 사실은 알았어. 자네가 폴 토머스는 인버네스에 갔다고 말하지 않았나. 그런데 바로 그때 내 머릿

속에 어떤 생각이 떠오르더군. 어쩌면 그가 아내를 살해했을 지도 모른다는 생각. 난 그녀가 죽어서 기뻤어. 그렇기에 누군 가 그 살인의 책임을 지게 하고 싶지 않았네. 잠시 머리가 어 떻게 됐던 거지. 그렇다고 자넬 날 탓할 텐가? 이제 내 아내는 다른 사람이 되었네. 그녀가 마지막으로 치마와 구두를 신은 모습을 본 게 언제였는지 기억도 안 날 지경이야. 난 지금 트 릭시의 복사본과 살고 있어. 기다란 셔츠에 청바지를 입고 그 빌어먹을 운동화 신은 발로 마룻바닥에 찍찍 소리를 내며 걸 어 다니는 그런 여자와 말이네."

"이제 부인도 곧 제자리로 돌아갈 겁니다." 해미시가 어색 하게 말했다.

"아, 아니, 트릭시의 추억은 절대로 사라지지 않을 걸세. 앤 절라가 그 조류 보호와 금연과 로흐두 쓰레기 치우는 일을 떠 맡게 될 거야. 난 계속 샐러드를 먹거나 외식을 하거나 그래야 겠지. 아내는 아주 단호해."

"충격적이네요. 그렇지만 부인 연배의 여성들은 쉽게 변하 지 않아요. 곧 예전의 아내분을 돌려받게 될 겁니다. 그러니 잠시만 참고 기다려 주면 돼요."

"그녀는 내가 트릭시를 살해했다고 생각해."

"쓸데없는 소리 말아요."

"정말이야. 아내가 냉정하고 매서운 눈초리로 날 바라보는 모습을 봤네. 그러더니 자기 침대를 빈방으로 옮겨 갔어. 그러니 살인범이 누군지 알게 되면 내게 가장 먼저 알려 주게, 해미시. 그 남자와 악수라도 하고 싶구먼."

"여자일지도 모릅니다." 해미시가 말했다.

브로디 선생은 의자에 등을 기대고 앉더니 담배에 불을 붙이고 천천히 말했다. "그럴지도 모르지."

해미시는 자신의 인버네스 방문이 또 한 번의 화창한 날씨로 축복받게 되리라 기대했다. 그러나 짜증스럽게도 하늘에는 먹구름이 잔뜩 끼고 비까지 내렸다.

그는 치과 의사 존슨 선생을 방문했다. 하지만 이미 인버네스 경찰이 다녀간 후였기에 의사 선생은 해미시의 방문에 짜증을 냈다. 해미시는 놀라지 않았다. 블레어가 그를 수사에서 제외시키려 일부러 인버네스로 보냈다는 사실을 알고 있는 까닭이었다.

"선생님은 정말 중요한 증인입니다." 해미시가 말했다. "그러니 사방에서 면담 요청이 들어올까 봐 걱정이네요. 시간을 많이 빼앗지는 않겠습니다."

"알겠어요." 치과 의사가 분통한 표정으로 대꾸했다. "그렇지만 할 얘기도 별로 없어요. 그 남자는 정말 어린애처럼 굴더군요. 어금니 하나가 썩어서 치통이 엄청나게 심했거든요. 뿌리는 멀쩡하기에 내가 드릴로 갈아서 충전물을 채우자고 제안했죠. 그랬더니 그는 부들부들 떨면서 그냥 뽑아 달라고 사정을 하더라고요. 안 된다고 했지만 도대체 말을 들어야 말이죠. 그리고 마취를 해 달라고 고집을 부렸어요. 그가 정신을 차렸을 때 난 그의 치아 엑스레이를 보여 주면서 내가 얼마나 고생했는지 설명했죠. 그랬더니 그 환자는 정말 말 그대로 경악을 하더라고요. 그러고는 비틀거리면서 의자에서 일어나 문밖으로 달려 나갔어요. 진료를 시작하기 전에 미리 건강보험증 번호를 적어 놨기에 망정이지, 안 그랬으면 이를 공짜로 뽑아 줄 뻔했다니까요. 어쨌거나 마취가 완전히 깰 때까지 좀 더 휴식을 취했어야 하는데 그러지를 못 했죠."

금파리 한 마리가 의사의 가운 위에 앉자 의사가 몸을 흔들어 날려 버렸다. "올여름처럼 파리가 많은 해는 없었던 것 같아요. 그런데도 날씨가 덥고 습해서 창을 닫아 놓을 수가 없네요."

해미시는 수첩을 집어넣고 기차역으로 향했다. 그리고 프리실라의 기차가 들어오기 전에 제때 역에 도착할 수 있었다.

그는 마음속에 들어앉은, 사건에 관한 상념은 모두 떨쳐 버리고 오직 프리실라가 도착하기를 기다리는 단순한 즐거움에 집중하기로 했다. 곧 그는 영화 〈밀회〉 속에 등장하는 만남의 장면과 비슷한 상황이 벌어지는 상상을 하기 시작했다. 프리실라가 기차의 뿌연 증기 속에서 그를 향해 달려온다. 금발 머리를 어깨 너머로 찰랑거리면서 그녀가 그의 품 안으로 달려든다. 그러나 증기기관차의 시대는 이미 지나가 버린 지 오래였다. 그럼에도 그는 자신의 장밋빛 환상 속에 등장하는 어느 한 요소도 포기하고 싶지 않았다. 그래서 증기 부분도 그대로 남겨 두었다. 승강장 지붕 위로 빗방울이 쿵쿵거리며 떨어져 내렸고, 잠시도 가만히 있지 못하는 인버네스 갈매기들이 머리 위에서 끼룩거리며 울어 댔다.

12시 30분이 되었지만 기차는 들어올 기미도 보이지 않았고, 시간은 그대로 흘러가 버렸다. 그는 간이 안내소 쪽으로 가 봤지만 안에는 아무도 없었다. 어쩔 수 없이 이번에는 여행 센터를 찾아갔고, 그곳에서 기차가 신호기 고장으로 30분 정도 연착되었다는 안내를 받았다. 그는 승강장으로 돌아가 기다리면서 다시 아까의 상상을 하기 시작했다. 프리실라가 끊임없이 그를 향해 달려왔다.

45분 후, 그는 다시 여행 센터로 갔다. 또다시 신호기 고장에 관해서 들어야 했고, 기차가 머잖아 들어오리라는 얘기도 들었다. 역에 설치된 확성기에서 노랫소리가 귀청이 터져 나갈 듯이 큰 소리로 울려 나왔다. 스코틀랜드 왈츠 가락에 맞춰 쓴 곡을 콧소리가 잔뜩 섞인 목소리가 부르고 있었다.

"아, 저기 자주색 헤더가 만발해 있네,

작은 만에는 배들이 정박해 있네,

그곳이 바로 해 질 녘이면

내가 방황하는 곳이라네."

가수의 노랫소리에 맞춰 비는 더욱 세차게 승강장 지붕을
때려 댔고, 선회하는 갈매기들은 가수와 경쟁이라도 하듯이
더 크게 끼룩거렸다.

해미시는 무기력한 기분으로 다시 여행 센터로 돌아갔다.
영국 국유철도를 상대하는 영국 사람이라면 누구라도 경험하
는 기분이었다. 센터에는 격자무늬 재킷을 입고 얼굴에는 '꺼
져 버려'라고 말하는 듯한 표정을 지은 젊은 남자 하나가 앉아
있었다. 해미시가 그에게 다가가서 만약 고객의 항의에 좀 더
적극적으로 임하는 자세를 보이지 않는다면 자신이 어떤 조
치를 하게 될지 조용히 설명하자, 마침내 역무원이 역장 사무
실로 전화를 걸었다. 인버네스 외곽에서 철로가 파손됐다는
답변이 돌아왔다. 그러나 기차는 곧 움직이게 되리라는 답변
도 함께였다.

해미시는 다시 승강장으로 돌아갔다. 2시 15분에 기차가
천천히 승강장으로 들어왔다.

그는 개찰구 근처에서 기다렸다.

그러다가 거의 그녀를 놓칠 뻔했다. 프리실라는 고개를 푹

숙인 채 걷고 있었다. 머리는 기분까지 우울하게 만드는 방수 모자로 푹 덮여 있었다.

"프리실라!" 그가 외쳐 불렀다.

그녀가 고개를 획 돌렸다. "아, 거기 있었군요." 프리실라의 목소리는 냉랭했다. "망할 기차. 배고파 죽겠어요. 우리 어디로 갈 거예요?"

해미시는 그녀를 보며 눈만 끔뻑였다. 너무도 오랫동안 열정적인 만남의 장면만 거듭 상상하고 있던 까닭에 그녀를 어디로 데리고 가야 할지 생각해 두어야 한다는 사실은 까맣게 잊고 있었다.

"캘리도니언 호텔에 가 보려고요." 그가 말했다.

그들은 네스 강을 내려다보고 서 있는 호텔까지 침묵 속에 걸어갔지만, 점심 식사는 2시에 마감이라는 대답만 들어야 했다. 해미시는 공중전화 부스를 찾아가서 몇 군데 전화를 걸어 봤지만 모두 다 점심은 2시까지만 제공된다는 대답이 돌아왔다.

"해미시, 우리 그냥 어디 가서 싸고 쉽게 구할 수 있는 음식으로 간단히 한 끼 때우고 말죠." 프리실라가 말했다. 방수 모자챙에서 흘러내린 빗물이 그녀의 콧등으로 떨어졌다.

해미시는 필사적으로 주변을 둘러봤다. '해군 제독의 은신처'라는 이름의 싸구려 식당처럼 보이는 곳이 눈에 들어왔다.

내닫이창이 그물로 묶여 있었다.

"저기는 열었네요." 그가 말했다.

그들은 안으로 들어가서 빵 부스러기가 지저분하게 널린 식탁에 자리 잡고 앉았다.

해미시는 메뉴를 들여다봤다. 종류가 엄청나게 많았다. 식당 뒤쪽에는 여종업원들이 무리 지어 서서 수다를 떨고 있었다. 그는 손을 흔들었다. 몇 개의 멍한 눈이 그를 빤히 바라보다가 다시 하던 대화로 돌아갔다.

"일단 먹고 싶은 걸 골라 봐요." 해미시가 말했다.

"스파게티 볼로네즈 어때요?" 프리실라가 물었다. "보통 이런 식당에는 주방장이 이탈리아 출신이거든요."

"좋아요." 해미시는 여종업원들이 몰려서 있는 곳으로 걸어 갔다. "스파게티 볼로네즈로 두 개 주세요." 그가 주문했다. 하지만 종업원들은 해미시가 무슨 외설적인 말이라도 한 것처럼 빤히 바라만 보았고, 얼마 후에야 그중 한 명이 무리에서 빠져나가 주방으로 들어갔다.

해미시는 식탁으로 돌아갔다. 그는 혹시 프리실라가 존 벌링턴이라면 해미시보다는 훨씬 계획적으로 자신을 맞이할 준비를 해 놓았을지도 모른다는 생각을 하는 건 아닐까 걱정이 됐다.

여종업원이 접시 두 개를 들고 다가왔다. 산처럼 쌓인 스파게티 위에 진흙처럼 보이는, 종류를 알 수 없는 끈적한 소스가 덮여 있었다. 종업원의 손은 피부병에 걸렸는지 온통 딱지가 앉아 있었다.

"파르메산 치즈는 어디 있나요?" 해미시가 작지만 단호한 목소리로 물었다.

"뭐요?"

"파르메산 치즈요." 프리실라의 목소리는 얼음처럼 차가웠다.

"여긴 그런 거 없어요." 여종업원이 의기양양하게 대꾸했다.

"탁자에 빵 부스러기나 치워요." 해미시가 심술궂게 말했다. 여종업원이 구부정한 자세로 걸어가더니 다시는 돌아오지 않았다.

"음식에서 발 냄새가 나요." 프리실라가 말했다. "나 이거 도저히 못 먹겠어요."

"그냥 나갑시다." 해미시가 포크를 내려놓으며 말했다. "이 빌어먹을 식당엔 보나 마나 살모넬라균이 득실거릴 것 같네요. 계산서 가져다 달라는 말도, 항의도 하지 않는 게 나을 것 같아요. 계산서 가져오는 데도 온종일 걸릴 게 분명해요." 그는 메뉴판을 보고 금액을 확인한 후 스코틀랜드 파운드 지폐 몇 장을 탁자 위에 꺼내 놓고는 프리실라와 함께 밖으로 나갔다.

"이제 어디로 가요?" 프리실라가 절망적인 심정으로 물었다.

"따라와요." 해미시가 단단히 결심한 듯이 말했다. 그리고 프리실라를 자신의 랜드로버가 주차된 곳으로 데리고 갔다. "여기서 기다려요." 그가 차 문을 열어 잡고 그녀가 안에 타기를 기다리며 말했다.

얼마 후 해미시가 피시앤드칩스 꾸러미 두 개와 와인 한 병과 생수 한 병을 들고 돌아왔다. 유리잔 두 개와 코르크 마개 뽑이도 있었다.

"와인은 당신 거예요." 그가 코르크 마개를 잡아 뽑으며 말했다.

"마침내 음식이라는 걸 먹는군요." 프리실라가 말했다.

그들은 만족스러운 침묵 속에 음식을 먹었다. "심술궂게 굴어서 미안해요." 프리실라가 말했다. "오늘 일 보러 간 건 어땠어요?"

"아, 폴은 그 치과에 갔던 게 맞아요."

"그렇지만 그게 폴이 살인을 저지르지 않았다는 의미는 아니잖아요." 프리실라가 말했다.

"왜요?"

"치과로 떠나기 전에 트릭시가 먹으리라고 예상되는 음식에 비소를 타 놓았을 수도 있잖아요."

"감식반에서 부엌에 있는 걸 몽땅 집어 갔는데, 비소의 흔

적은 어디서도 발견되지 않았대요. 카레는 못 가져갔나 봐요. 찾을 수가 없었다고 해요."

"카레라고요? 카레에 관해서라면 나도 알아요." 프리실라가 말했다. "트릭시가 자기 먹으려고 조금 만들었는데, 목사님 저녁 식사 때 드리라고 웰링턴 부인에게도 좀 챙겨 줬거든요."

해미시는 자신이 입을 쩍 벌린 채 그녀를 바라보고 있다는 사실을 깨달았다. "어서 돌아가 봐야겠네요." 그가 말했다. "웰링턴 부인이 아직 그걸 먹지 않았다면 냉장고 안에 그대로 들어 있을 거예요. 아니, 여기서 기다려요. 전화를 거는 게 낫겠어요."

10분 뒤 해미시는 의기양양한 표정을 지은 채 돌아왔다. "웰링턴 부인은 카레에 손도 대지 않았답니다. 트릭시가 자기 먹을 걸 조금 덜어 내고 냄비에 든 걸 그대로 웰링턴 부인에게 주었대요. 그리고 부인은 그걸 그대로 가지고 있고요. 블레어 경감에게도 전화를 걸었어요."

"난 엄마 줄 선물을 쇼핑하러 가야겠어요." 프리실라가 말했다. "여기서 기다릴래요?"

"그러죠, 얼마나 오래 걸릴 것 같아요?"

"한 시간 정도요."

해미시는 기차역 주차장에 차를 대 놓고 앉아서 사건에 관해 생각했다. 그러나 한 시간이 지나도 프리실라는 나타나지 않았다. 그는 계속 백미러를 흘낏거리며 그녀가 돌아오기를 기다렸다.

그리고 바로 그때, 차 한 대가 주차장을 나서는 것을 목격했다. 지붕에 고정해 놓은 짐칸에는 의자 하나가 실렸고, 투명한 비닐이 그 위를 덮고 있었다. 해미시는 그 의자를 즉시 알아봤다. 그는 시동을 걸고 랜드로버를 돌려 차를 뒤쫓기 시작했다.

앞서가는 차는 매우 빠른 속도로 달렸다. 차가 로터리를 돌아 퍼스로 향하는 A9번 도로로 올라섰다. 해미시는 사이렌을 울렸지만, 앞차는 더 빠르게 달리는 듯 보였다.

그는 퍼스 도로를 3킬로미터쯤 달려간 후에야 그 차를 따라잡아서 운전자에게 차를 멈추라는 신호를 보냈다. 빨간 머리에 자그마하고 족제비 같은 외모의 남자가 창문을 내리자 테이프덱에서 흘러나오는 쿵쿵거리는 음악 소리가 마치 주먹처럼 해미시를 강타했다. 운전자가 경찰 사이렌 소리를 듣지 못한 이유를 확실히 알 수 있었다.

"무슨 일인가요?" 남자가 뚱하게 물었다.

"처음 출발 때부터 과속입니다." 해미시가 말했다. "저 의자는 어디서 난 겁니까?"

"인버네스에서 열린 경매에서요. 제가 골동품 중개상이거든요." 그가 지저분한 명함 한 장을 내밀었다.

"차 밖으로 나와서 저걸 좀 보여 주실래요? 그럼 과속은 안 본 거로 해 줄게요."

"이쪽 귀퉁이 비닐만 조금 들어 올릴게요." 중개상이 말했다. 그의 이름은 헨더슨이었다. "의자가 젖으면 안 되거든요."

해미시는 비닐 아래쪽을 들여다봤다. 트럭시가 길을 따라 운반해 갈 때 마지막으로 보았던 브로디 부부의 의자였다.

"이 의잣값으로 얼마를 지급했습니까?"

"150파운드요."

해미시는 휘파람을 불었다. "어디로 가져가는 겁니까?"

"마지막 목적지는 런던이에요. 그 전에 경매 몇 건에 더 참 가해야 하거든요. 런던에 가져가면 좀 더 값을 잘 쳐 받을 수 있어요. 저 구슬 장식 좀 보세요."

"이게 어디서 가져온 건지 알고 있어요?"

"경매인 말로는 북쪽 지방의 어떤 노커가 가져왔다고 하더라고요."

"노커요?"

"집집이 돌아다니면서 골동품을 수집해 오는 여자들을 가리키는 말이에요. 물건 주인들은 그 가치를 전혀 모르는 게 일반적이죠. 그래서 보통 몇백 파운드 가치가 나가는 물건을 기껏해야 5파운드 정도 주고 가져오죠."

"아니면 공짜로 얻어 오거나." 해미시가 반쯤 자신에게 말하듯이 중얼거렸다. 그리고 그가 다시 큰 소리로 말했다. "이번에는 딱지 안 끊고 그냥 보내 드릴게요, 헨더슨 씨. 그렇지만 운전 조심하세요. 제가 조만간 연락드리겠습니다."

"이거 혹시 장물인가요?" 골동품 중개상이 초조한 표정으로 물었다.

"그런 건 아니지만, 그래도 한 주 정도는 팔지 말고 기다리세요. 살인 사건과 관련돼 있을지 모르거든요."

해미시는 다시 주차장으로 출발했다. 비는 전보다 더 세차게 퍼붓고 있었다. 그제야 그는 프리실라를 떠올렸고, 가속페달에 발을 올리고 있는 힘껏 밟았다.

주차장에는 아무도 없었다. 해미시는 기차역으로 가서 주변을 둘러봤다. 그곳에도 프리실라는 없었다. 그는 안내판을 확인해 북쪽으로 향하는 기차가 방금 출발했다는 사실을 알게 되었다. 승강장으로 뛰어간 그는 마침 구부러진 기찻길을 막 돌아서 사라지는 기차의 모습을 볼 수 있었다.

〈밀회〉는 무슨 얼어 죽을 밀회, 그는 비참한 기분으로 생각했다.

그는 경매가 진행되는 장소로 차를 몰아갔고, 그곳에서 트릭시가 아까의 의자와 함께 몇몇 다른 가구와 도자기 장식품 몇 점도 팔려고 내놓았다는 사실을 알게 되었다.

"어젯밤에 경매가 있었습니다." 경매인이 말했다. "그래서 막 토머스 부인에게 수표를 보내려던 참이었어요."

"금액이 얼마나 되나요?"

"거의 1천 파운드쯤 됩니다. 아마 런던에서 물건을 경매에
내놓았다면 훨씬 비싸게 팔렸을 거예요. 그렇지만 토머스 부
인에게 그 얘기는 하지 않을 겁니다."

해미시는 트릭시가 유언장을 남겼는지 확인해 볼 때까지
수표를 그대로 가지고 있으라고 경매인에게 말했다. 그리고
거세게 퍼붓는 빗속을 뚫고 구불구불한 도로를 달려 로흐두
경찰서로 향했다.

그는 토멜 성으로 전화를 걸어 프리실라를 바꿔 달라고 요
구했지만, 목소리를 바꿔서 말해야 한다는 사실을 깜빡했다.
"할버턴스마이스 양은 여기 없습니다." 젱킨스가 말했다.

해미시는 그녀가 아직도 인버네스에서 기다리고 있는 것은
아닐지 걱정이 됐다.

그는 다시 성으로 전화를 걸었고 이번에는 목소리를 바꿔서
존 벌링턴이라고 말했다. 그러자 프리실라가 전화를 받았다.

"아, 당신이군요, 해미시." 그녀가 아무 감정도 실리지 않은
목소리로 말했다.

"정말 미안해요, 프리실라." 해미시는 사과를 하고 나서 그
녀에게 의자에 관한 이야기를 들려주었다.

"괜찮아요." 말은 이렇게 했지만, 프리실라의 목소리는 왠

지 거리를 두는 듯했다. "나한테 당신이 흥미로워할 정보가 좀 있어요. 우리 집 하녀 제시가 그러는데 트릭시가 코일에 있는 점성술사를 만나고 왔대요. 그러니 그를 만나서 트릭시와 무슨 얘기를 했는지 물어보세요."

수화기를 내려놓았을 때 해미시는 그날 저녁 당장 점성술사를 만나러 갈 작정이었지만 곧 다음 날 아침에 찾아가기로 마음을 고쳐먹었다. 점성술사 앵거스 맥도널드는 미래를 예측할 수 있다는 평판이 나 있었다. 해미시는 그가 사기꾼이라고 생각했지만 마을 사람들은 그를 자랑스러워했고, 그가 하는 말이라면 뭐든 곧이곧대로 믿었다. 한편 트릭시가 거길 혼자 찾아갔다는 것은 왠지 믿어지지가 않았다. 그녀는 분명히 몇몇 '시종'들을 데리고 갔을 터였다. 그는 앤절라 브로디와 웰링턴 부인과 다른 몇 사람에게 물어봤지만 그들은 그 사실에 관해 전혀 모르고 있었다. 그는 케네디 부인과 하숙인 존 파커와 폴에게도 물었으나, 소득은 없었다.

그러다가 그는 할버턴스마이스 대령이 트릭시를 고故 해거티 부인의 집으로 직접 운전해서 데려갈 예정이라고 말했던 일을 떠올렸다. 그는 시간을 확인했다. 성에서는 저녁 식사를 마쳤을 시간이었다. 그러니 대령은 해미시가 공짜 밥이나 먹으려고 찾아왔다고 비난하지는 못할 테고, 또 지금 가면 프리실라와도 잠시 대화를 나누며 인버네스에 그녀만 떨어뜨려

놓고 온 일을 다시 한 번 사과할 수도 있을 터였다.

그러나 대령은 해미시가 자신의 딸 근처에 가는 것은 절대 허락할 수 없다는 단호한 태도를 취했다.

그는 트릭시가 고가구 몇 점을 그 집에서 가지고 나왔다는 말을 퉁명스럽게 털어놨다.

"제가 거기 가서 한번 둘러보는 게 좋을 것 같네요. 대령님만 괜찮으시다면요."

"내가 그 집 열쇠를 자네에게 주지." 대령이 말했다. "그렇지만 대체 살인 사건 수사와 그 집이 무슨 상관이 있다는 건지 모르겠군."

"어쨌든 제가 한번 둘러보겠습니다. 트릭시가 거기서 가져온 가구 몇 점과 앤절라 브로디에게 얻은 의자 한 점을 인버네스에서 열리는 경매에 내놓아 거의 1천 파운드 되는 거금을 벌었더라고요."

"나더러 그 말을 믿으라는 건가?" 대령이 발끈 화를 냈다. "트릭시는 매우 품위 있는 여성이었네. 상당히 여성스러웠지. 자네도 내 말이 무슨 말인지 알 거네. 그 막돼먹은 남편이라는 작자가 치과에 가는 길에 내다 팔았을 거야. 그 부인은 절대로 날 속일 사람이 아니었네."

"그럴지도 모르죠. 어쨌든 열쇠를 주십시오. 혹시 트릭시가 앵거스 맥도널드를 방문하자는 말을 하지는 않았나요?"

"내가 기억하는 한은 안 했네. 이제 더 질문할 건 없는 줄 알겠네, 맥베스. 만약 자네가 한순간이라도 날 이번 살인 사건의 범인으로 의심하는 날에는 바로 자네 상관에게 보고할 테니 그런 줄 알게."

해미시는 슬프게 성을 나섰다. 프리실라는 그가 성을 방문했다는 사실을 알고 있을 터였다. 틀림없이 하인들이 말해 주었을 것이다. 그러나 그녀가 집에 있다는 기미는 어디서도 느껴지지 않았다. 성문이 황량한 최후통첩의 소리를 내며 그의 뒤로 닫혔다. 해미시는 자신이 역겨웠다. 그는 기차역에서 흥분 속에 떠올렸던 환상에 대해 생각했고, 단 한 번의 키스가 어떻게 그를 다시 꿈꾸게 했는지도 생각해 봤다. 그는 모질게 마음먹고 프리실라 할버턴스마이스를 마음속에서 지워 버리기로 했다.

하지만 그녀가 너무도 오랫동안 차지하고 있던 까닭인지, 마음속에는 커다란 암흑 구덩이가 생겨 버린 듯했다.

제5장

나는 미래를 예측하는 데 가장 좋은 방법은
과거를 근거로 삼는 것이라 생각한다.
패트릭 헨리

다음 날 아침, 해미시가 자신의 랜드로버에 올라타 막 경찰서를 출발하려고 할 때 블레어가 살찐 손을 들어 올린 채 나타났다.

"자네가 점성술사를 만나러 갈 거라는 얘기를 들었네." 그가 씩 웃으며 말했다.

"그런데요?"

"앵거스 맥도널드가 자기 수정구를 들여다보면서 이번 사건을 해결할 거라는 소문이 온 동네에 파다하게 퍼져 있어."

"경감님이 직접 가실래요?" 해미시가 물었다.

"나는 그런 일 말고도 할 일이 쌓여 있어. 치과에 다녀온 보고서는 작성했나?"

"그건 뭐하시게요?" 해미시가 짧게 대꾸했다. "인버네스 경찰에서 보고받은 내용이랑 같을 텐데요. 그렇지만 꼭 아셔야만 할 내용이 있어요." 그는 골동품 중개상에 관해 블레어에게 들려줬다.

"제기랄." 블레어가 말했다. "이거 문제가 복잡해지겠는걸. 보나 마나 그 여자가 누군가의 가보를 가지고 달아난 게 틀림없어."

"할버턴스마이스 대령과 면담을 하셔야 할 겁니다." 해미시가 심술궂게 말했다. "트릭시가 골동품들을 살펴볼 수 있도록 그가 운전해서 데리고 다녔거든요."

블레어의 표정이 어두워졌다. 데이비엇 부부가 토멜 성에서 저녁 식사를 한 일을 엄청나게 자랑해 댔기에 괜히 대령을 짜증 나게 해서 새로 부임한 총경과 껄끄러운 사이가 되고 싶지 않기 때문이었다. "음, 글쎄, 그건 앤더슨을 보내서 처리하는 게 나을 것 같군. 이번 사건은 보통 골치 아픈 게 아닌걸. 카레에서는 비소가 검출되지 않았네. 뭔가 다른 음식에 들어 있었던 게 분명해."

해미시 옆에 앉아 있던 타우저가 낮은 소리로 으르렁거렸다.

"옆에 그 똥개를 앉혀 놓고 있으니 아주 제대로 얼간이처럼 보이는군." 블레어가 냉소적으로 말했다.

"이 녀석은 고도로 훈련된 경찰견입니다." 해미시가 반박했다. "심지어 500파운드를 줄 테니 자기에게 넘기라는 제안도 받았어요."

해미시의 차가 서서히 멀어지는 동안 놀란 블레어의 입이 쩍 벌어져 다물어질 줄 몰랐다.

"새빨간 거짓말은 아니었어." 해미시가 타우저에게 말했다. "여기 사람들이 조금이라도 상식이라는 게 있었다면, 정말이지 네 가치를 알아보고도 남았을 거야." 타우저가 혀를 축 늘어뜨리고는 커다란 발을 해미시의 무릎 위에 다정하게 올려놓았다.

"내 무릎은 너처럼 꾀죄죄한 개의 앞발이 아니라 여자의 손이 올라와야 할 자리라고."

점성술사는 구불구불한 길이 이어진 둥그런 초록 언덕 꼭대기에 서 있는 회반죽을 바른 작은 집에 살았다. 집은 마치 동화 속에서 막 튀어나온 듯했다. 해미시는 언덕 밑에 차를 대고 꼭대기까지 걸어 올라갔다. 하늘에는 비를 무겁게 머금은 먹구름이 잔뜩 끼어 있었고, 바람은 음울한 비명을 질러 대며 위로 높이 솟은 철탑을 휘돌아 포효하듯이 불어 댔다. 적어도 바람 때문에 파리 떼와 각다귀 떼는 보이지 않았다. 그는 바람의 힘에 기대며 점성술사의 집까지 올라갔다. 작은 집 굴뚝에서 피어오르는 가느다란 잿빛 연기가 거센 바람의 채찍질에 이내 조각조각 흩어졌다.

앵거스 맥도널드는 키가 크고 마른 60대의 남자였다. 숱 많은 머리는 백발이었으며, 우락부락한 인상의 얼굴에는 엄청나게 큰 코가 자리 잡고 있었다.

해미시가 집에 거의 도달했을 때, 그가 문을 열었다. "그래, 마침내 왔군. 올 줄 알았네. 아직 사건은 해결 못 했나?"

"아마도 앵거스 씨가 해결할 수 있겠죠." 해미시가 점성술사를 따라 그의 자그마한 부엌 겸 거실로 들어가며 말했다.

"그래, 어쩌면, 어쩌면." 앵거스가 말했다. "그래, 뭘 가지고 왔나?"

"아무것도요. 뭘 원하셨는데요? 복채로 돈을 받으세요?"

"사람들이 늘 뭔가를 가져오지. 연어나 사슴 고기나 집에서 만든 케이크 같은 것 말이네."

"오늘 난 경찰 신분으로 왔습니다. 트릭시 토머스에 관해 아는 걸 모두 말해 주십사 하고요."

"그녀는 죽었어." 점성술사가 이렇게 말하고는 키득거렸다.

"그녀가 여기 왔을 때 무슨 얘기를 해 줬나요?"

앵거스가 난롯불 위에 걸어 놓은 사슬에서 검은색 주전자를 들어 올려 싱크대로 가지고 가 물을 채우고는 다시 사슬에 걸어 불 위에 얹어 놓았다. "요즈음 내 기억력이 전 같지 않아서 말이지. 위스키 한 잔만 마시면 기억이 돌아올 것 같은데 집에 한 모금도 없지 뭔가."

"나도 위스키 같은 건 없어요." 해미시가 뚱하게 말했다.

점성술사가 불 앞에서 돌아서더니 해미시를 뚫어질 듯이 바라봤다. "그 아가씨는 절대로 자네와 결혼하지 않아." 그가 말했다.

고지 사람인 해미시는 미신적인 전율을 억눌러야 했다. 반면 경찰 해미시는 흥정을 해 보기로 마음먹었다.

"알았어요, 이 혐오스러운 노인네 같으니." 순경이 말했다. "내가 위스키 챙겨서 금방 돌아올 테니 기다려요. 그거 마시고 나서는 머리가 제대로 돌아가게 하는 게 좋을 겁니다."

앵거스는 미소 지은 채 해미시가 나가는 모습을 바라보고 있다가 곧 차를 끓일 준비를 했다. 바람이 밴시*처럼 울어 대며 그의 작은 집을 긁어 댔다. 분노한 바람 소리 외에는 아무 소리도 들리지 않았다. 그는 해미시가 위스키를 들고 어서 돌아오기만 기다렸다. 바람이 그를 우울하게 했다. 바람은 꼭 생명이 있는 대상 같았다. 그의 오두막 주변에서 안으로 들어올 방법을 찾으며 으르렁거리는 괴물 같았다.

바람이 분명 그의 집 뒤쪽에 있는 정원을 아수라장으로 만

* 아일랜드 전설에 등장하는 여자 유령이다.

들어 놓았을 터였다. 그는 찻주전자를 난로 옆 화로에 올려놓고 뒷문을 열었다. 라즈베리 줄기는 다 쓰러져 있었고, 정원 헛간 문은 경첩에 매달려 거칠게 흔들렸다. 그는 작은 정원으로 나가 헛간 문을 닫고 벽돌로 문을 괴어 놓았다.

그가 막 돌아서려는 찰나, 구름 사이로 물기를 머금은 햇살이 잠깐 반짝이며 뒷문 옆에 놓인 무언가를 비추었다. 그는 다가가서 내려다봤다. 위스키가 가득 찬 병이었다.

그는 미소 지었다. 엉큼한 해미시 맥베스 같으니라고. 자신이 다시 돌아와 질문하기 전까지 앵거스의 머리에 기름칠이 매끄럽게 잘되어 있기를 바라며 위스키병을 그곳에 두고 간 게 틀림없었다.

그는 위스키병을 안으로 가지고 들어갔다. 이제 텔레비전을 켜고 장기 일기예보를 확인할 시간이었다. 사람들은 날씨를 정확하게 예측하는 그의 능력에 늘 놀라움을 감추지 못했다. 자신들도 항상 같은 프로그램을 보면서도 그랬다. 그는 불 옆에 놓인 낡은 안락의자에 자리 잡고 앉아 위스키를 한 잔 따르려고 병뚜껑을 열다가 뚜껑이 이미 열려 있다는 사실을 알아차렸다. "자기가 먼저 한잔하기로 했구먼. 그리 나쁜 생각은 아니지." 앵거스는 흥미로운 기분으로 중얼거렸다.

바람이 거세지면서 미치광이처럼 날카롭게 비명을 지르며 그의 작은 집을 두들겨 댔다. 그가 위스키 잔을 들어 입술로 가져갔을 때, 갑자기 방 안이 빙빙 돌더니 오래전에 돌아가신 어머니의 모습이 나타났다. 어머니는 놀라고 기쁜 표정이었다. 그가 전장에 나갔다가 전혀 예기치도 않았을 때 집에 돌아오자 지어 보이셨던 바로 그 표정이었다. 그러고 나서 어머니의 모습은 곧 사라졌다. 그는 가만히 앉아서 떨리는 손으로 자기 옆 바닥에 술잔을 내려놓았다.

젊은 시절 그는 자신이 천리안을 타고났다고 확신했다. 스코틀랜드 고지 사람들이 미래를 보는 눈이라고 부르는 바로 그 능력. 전쟁에 나갔을 때는 확실히 그에게 천리안이 있었다. 당시 그는 마음속의 눈으로 친구가 독일군의 총에 맞아 죽는 모습을 보았고, 얼마 후 그가 봤던 장면이 그대로 눈앞에서 벌어졌다. 그 후로 그는 점성술사로 차츰 명성을 쌓아 갔다. 물론 타고난 천리안의 능력은 다시 돌아오지 않았지만, 마을 사람들을 감탄하게 하는 일은 그다지 어렵지도 않았다. 어쨌든 앵거스 맥도널드는 마을 사람들에 관해 이미 많은 것을 알고 있었고, 떠도는 소문 또한 빠짐없이 듣고 있는 까닭이었다.

해미시가 돌아왔을 때, 그는 가만히 앉은 채 허공을 응시하고 있었다.

"여기 위스키 가져왔어요." 해미시가 반쯤 차 있는 병 하나를 내밀었다. "아니, 이 욕심 많은 노인네 같으니. 저기 한 병 가득 찬 걸 갖고 있었네."

"저건 죽음이네." 점성술사가 가느다란 목소리로 말했다. "어서 저것 좀 치워 버리게, 해미시. 내가 저 안에서 죽음을 봤네."

그는 하얗게 사색이 되어 부들부들 떨었다.

"어디서 난 겁니까?" 해미시가 날카롭게 물었다.

"부엌문 밖에 있었네. 뒷문 말이야. 사람들이 거기다가 내게 줄 물건들을 두고 가거든. 그건 자네도 알 테지, 해미시. 그렇지만 오늘은 저 빌어먹을 바람 소리 때문에 누가 왔다 가는 소리를 듣지 못했네."

"그런데 어떻게 술을 안 마신 거예요?" 해미시가 강렬한 시선으로 그를 바라보며 물었다.

앵거스가 정신을 차리려는 듯이 고개를 흔들었다. "돌아가신 어머니를 봤네. 문 옆에 서서, 마치 내가 이제 곧 저세상으로 건너가기라도 할 것처럼 놀란 표정으로 날 보고 계셨어."

"그리고 그 전에는 술을 한 모금도 마시지 않았다는 거죠?" 해미시가 차갑게 물었다.

"안 마셨네. 그래, 맹세하네, 안 마셨어."

해미시는 깨끗한 손수건을 꺼내 위스키병을 감싸 집어 들었다. "혹시 집에 종이 수건 같은 거 있나요? 유리잔도 함께 가져갔으면 좋겠거든요."

앵거스가 싱크대 쪽으로 고갯짓했다. 두루마리 종이 수건 하나가 식기 건조대 옆에 기대 놓여 있었다.

"난 지금 가야겠어요." 해미시가 유리잔과 위스키병을 조심스럽게 들어 올리며 말했다.

"날 혼자 두고 가지 말게." 앵거스가 사정하듯이 말했다.

"그러지 말고 지금 나와 함께 블레어에게 가는 게 좋겠어요. 그가 이걸 보면 또 어떤 수선을 피워 댈지 생각만 해도 몸서리가 쳐지는 것 같기는 하네요."

해미시가 점성술사와 함께 돌아갔을 때 블레어는 경찰서 사무실에 와 있었다. 로흐두 마을의 모든 집과 마찬가지로 경찰서도 생전 문을 걸어 잠그는 법이 없었다.

"호텔에 묵고 있는 게 아니라는 건 알지만," 해미시가 퉁명스럽게 말했다. "그래도 존슨 씨가 사무실로 쓰라고 방을 하나 무료로 내준 거로 알고 있는데, 어쩐 일이세요?"

"그냥 지나가던 길에 전화 쓸 일이 있어서 들렀네. 저 사람은 누군가? 그리고 위스키 냄새를 풀풀 풍기면서 뭐 하는 건가?" 해미시는 앵거스 맥도널드의 집에서 가져온 위스키 잔과 병을 매우 조심스럽게 들고 있었다.

해미시와 점성술사는 자리에 앉았다. 그리고 해미시는 아무 감정도 실리지 않은 목소리로 앵거스의 환상을 블레어에게 전했다.

블레어는 신이 나서 자기 무릎을 두드리며 박장대소했다.

"스트래스베인에서 데이비엇 총경도 도착했네. 지금 수사 진척 상황을 보기 위해 호텔로 간 참이야. 이 얘기를 들으면 뭐라고 할지 한번 보자고."

블레어가 유쾌하게 수화기를 집어 들고 전화번호를 돌렸다. 만약 총경에게 해미시 맥베스가 얼간이라는 사실을 확신할 추가적인 증거가 더 필요하다면, 바로 이것이 분명했다.

"제가 지금부터 무슨 얘기를 하려는지 전혀 상상도 못 하실 겁니다, 총경님." 블레어가 말했다. "해미시 맥베스가 이 동네 점성술사, 앵거스 맥도널드를 데리고 왔습니다. 누군가 이 괴짜 노인네의 집 문간에 위스키 한 병을 두고 갔는데, 그가 그 술을 막 마시려던 찰나에 돌아가신 모친이 저승에서 그를 찾아왔고, 그래서 술에 독이 든 게 분명하다고 판단했다는군요." 블레어는 다시 웃고 또 웃었다. 수화기 저편의 목소리가 고함을 질러 대는 소리가 들리자 블레어의 입술에서 웃음기가 사라졌다. 데이비엇 총경은 고지 자체는 물론이고 고지에 있는 모든 것과 사랑에 빠진 저지대 스코틀랜드 사람이었다. 그런데 점성술사도 고지에 속한 사람이 아니던가. 그러니 총경이 생각하기에는 그도 존경으로 대해야만 했다. "음, 총경님이 그렇게 말씀하신다면……" 블레어가 중얼거리며 전화를 끊었다.

"이 위스키는 분석이 필요할 테니 내가 스트래스베인으로

145

가져가도록 하지." 그가 으르렁대듯이 말했다. "그리고 자네와 이쪽에 계신 맥도널드 씨는 함께 호텔로 가서 총경님을 만나도록 하게. 이 병에는 스카치위스키 외에는 아무것도 들어 있지 않을 거야. 그 사실이 확인되고 나면 자네는 완전히 얼간이처럼 보일 테니 각오하라고."

데이비엇 총경은 앵거스를 극도의 예의를 갖춰 맞이했다. 다정한 태도로 그를 안락의자에 앉히고는 커피까지 한 잔 건네주었다.

이제 앵거스는 경청할 준비가 된 청중에게 자신의 이야기를 들려주었다. "그래서 여기 있는 맥베스가 토머스 부인이 선생께 뭘 알고 싶어 했는지 물어보러 간 거였군요." 데이비엇 총경이 말했다. "이 친구에게 말해 주셨나요?"

"막 얘기해 주려던 참이었습니다." 앵거스가 말했다. "그런데 너무 무서운 일이 생겨 버린 거죠. 참, 그리고 토머스 부인은 내게 뭘 물어보려고 온 게 아니었습니다. 그녀는 우리 집 벽난로 선반에 놓인 도자기 개를 한 마리당 5파운드씩 쳐줄 테니 자기에게 달라고 하더군요. 그렇지만 난 그것들이 요즘 값이 꽤 나간다는 사실을 알고 있거든요. 그래서 그 여자에게 탐욕이 당신을 망치게 될 거라고 말해 줬죠."

"왜 그런 말을 하신 건가요?" 총경이 날카롭게 물었다.

"내겐 천리안이 있거든요." 점성술사가 말했다.

"아마 오늘은 있었을지 모르죠." 해미시가 말했다. "그렇지만 내 추측에 당신은 이미 트릭시에 관해 들은 바가 있었을 테고, 그래서 그 여자가 당신 도자기 개들을 가져가려고 당신을 속이려 하는 것에 꽤나 심술이 났던 거예요. 자, 나와 함께 돌아가서 주변을 살펴보고, 감식반을 불러서 당신 집을 조사하게 하는 게 낫겠어요."

"가려면 자네 혼자 가게." 점성술사가 퉁명스럽게 말했다. "난 데이비엇 씨와 여기 있을 테니. 총경님의 얼굴에는 위대함의 징후가 있네."

그것으로 앵거스가 데이비엇 총경을 설득하는 일은 끝이었다. 따라서 해미시는 타우저만 데리고 떠나야 했다.

바람이 땅을 완전히 말려 놓았기에 그는 감식반이 발자국을 찾아낼 수 있을지 걱정됐다. 뒷문으로 돌아가는 길에는 포석이 깔려 있었고, 뒷문 바깥은 헤더가 무성하게 자라 있는 황무지였다.

만약 누군가 앵거스를 독살하려 했다면 해미시가 그를 만나러 갈 예정이라는 사실도 알고 있었음이 틀림없었다. 그러나 블레어에 따르면 마을 사람 모두가 해미시가 앵거스를 만나러 간다는 사실을 알았다. 그는 오두막 뒤쪽의 황무지를 천천히 걸어가다가 자신이 이언 건의 농장을 내려다보고 서 있다는 사실을 깨달았다. 그는 블레어든 그의 부하들이든 간에 누구라도 이언 건과 면담을 했는지 궁금했다. 해미시는 박쥐 사건이 그다지 중요하게 느껴지지 않았던 까닭에 그 건에 관해서는 블레어에게 이야기하지 않았다. 하지만 이제 구름 그림자들이 황무지를 가로질러 서로를 쫓아다니는 하늘 아래 서서 바람이 쏴쏴 불어 대는 소리를 들으며 서 있자니, 왠지 이언 건의 존재를 심각하게 받아들여야 하는 게 아닐까 의구심이 들기 시작했다. 이언 건은 그저 언덕을 달려 올라가 점성술사의 집 뒤편으로 가서 위스키병을 놓아두고 오면 그만이었다. 해미시는 문득 그날 트릭시가 떠나는 모습을 지켜보던 이언의 얼굴에 증오의 그림자가 드리우던 게 기억났다. 그는 이 사실도 블레어에게 말해 주어야겠다고 생각했지만, 그러면 블레어는 그가 중요한 정보를 일부러 숨기고 있었다고 억지를 부릴 게 뻔했다.

해미시가 도착했을 때, 이언 건은 농가 부엌에서 막 부츠를 벗으려던 참이었다. 키가 크고 비쩍 마른 그의 아들은 부엌 식탁에 앉아 있었고, 이언의 아내는 불 위에 올려놓은 냄비 속을 휘젓고 있었다.

"자네군, 해미시." 이언이 쾌활하게 인사했다. "앉게."

"우리 둘이서만 조용히 얘기 좀 했으면 해서 왔어요." 해미시가 말했다.

이언은 아내와 묘한 시선을 주고받더니 느릿느릿 말했다.

"들어오게."

해미시는 그를 따라 거실로 들어갔다. 바닥에는 맞춘 듯한 새 카펫이 깔렸고, 꽃병에는 조화가 꽂혀 있었으며, 창문에는 현란한 문양의 나일론 커튼이 쳐져 있었다. 또한 세 점이 한 벌로 구성된, 가장자리를 가공하지 않은 밝은 녹색 모켓 재질의 천을 씌운 소파 세트도 놓여 있었는데, 그런데도 황량하고 춥고 거의 사용하지 않은 듯한 느낌을 주는 공간이었다.

구석에는 커다란 텔레비전이 자리했지만, 해미시는 이언 가족에게는 그것을 시청할 시간이 거의 없으리라고 확신했다. 그들 모두 부지런히 일만 했다.

"무슨 문제라도 있는가?" 이언이 물었다.

"트릭시 토머스의 죽음이 문제죠. 그래서 그녀에게 원한을 품고 있었을 만한 모든 사람과 면담을 진행하는 중이거든요. 그런데 앵거스 맥도널드 씨가 오늘 누군가 자기 집 바깥에 독이 든 위스키 한 병을 가져다 두고 갔다고 주장하고 있어요."

"앵거스는 술이라면 환장을 하고 마시는 사람이니 지금쯤은 술에서 독약 맛이 난다고 해도 놀랄 일도 아니지." 이언이 말했다. "그런데 내가 어리석은 여편네의 죽음과 무슨 상관이 있다는 건가?"

"지난번에 불도저를 몰고 가서 그 허물어져 가는 농가를 밀어 버리려고 했을 때, 길 한가운데서 트릭시 토머스와 문제가 있었잖아요."

이언이 조롱 조의 웃음을 터뜨렸다. "그 여자가 시작한 그 빌어먹을 조류 협회인가 뭔가에서 다른 조류 보호 협회란 협회에는 모조리 다 편지를 써서 박쥐에 관해 알린 게 분명해. 그날 이후로 들새 지킴이라나 뭐라나 하는 인간들이 내 땅을 감시하면서 날 괴롭히고 있다고. 이보게 해미시, 자네는 그 들새 지킴이라는 사람들이 누구에게나 선하고 친절하게 굴던 그 시절이 그립지 않은가? 아, 물론 아직도 많은 수가 좋은 사람들이기는 해. 그렇지만 요즘은 호전적인 사람들이 엄청나게 늘어났네. 남자들은 턱수염을 기르고 위장 재킷을 입고 선글라스까지 착용하고, 이빨은 다 썩었더라고. 또 여자들은 뚱뚱한 엉덩이를 청바지 속에 끼워 넣고, 긴 셔츠에 휘장을 둘둘 감고 돌아다니지. 내가 그런 상황에서 벗어나고 싶었다면, 그 인간들에게 총질을 해 댔을 거야. 아니, 난 토머스 부인을 독살하지 않았네, 해미시." 그가 앞으로 몸을 기울여 왔다. "보라고, 난 요즘 정부의 온갖 괴롭힘을 견뎌 내느라 힘이 들어 죽겠어. 스코틀랜드에 부가가치세 전담반이 생기면서 이 나라가 얼마나 변했는지 알기나 하는가. 게다가 자기 힘을 과시하고 싶어 안달이 난 시시하고 하찮은 공무원들은 또 얼마나 많은데. 그러니 트릭시 토머스 말고도 내가 죽여야 할 이유가 있는 사람은 세상에 널리고 널렸다고. 아마 나중에 보면 그 여자 남편이 범인일 거야. 늘 남편이 범인이거든."

"왜요?"

"만약 자네가 청바지를 각 잡아 다려 입고, 하얀 운동화만 고집하는 여자와 살고 있다고 생각해 보게."

"그렇죠, 그건 제아무리 비위가 튼튼한 사람의 속도 뒤집어 놓을 만하죠." 해미시가 씩 미소 지으며 말했다. 그러나 곧 그의 얼굴에 그늘이 드리웠다. "저기요, 이언, 내가 블레어에게는 그 박쥐 사건에 관해 아직 얘기하지 않았거든요. 경감에게 말해야 할 것 같은데, 그러니 좀 괴롭힘을 당할 각오를 하고 있어야 할 거예요."

"걱정하지 말게. 지난주에 난 소득세 조사관도 상대한 몸이야. 내가 소득세 조사관을 견뎌 냈다면, 그건 블레어도 얼마든지 견뎌 낼 수 있다는 뜻이라네."

해미시는 언덕을 올라가 앵거스의 오두막을 지나쳐서 다시 언덕을 내려갔고, 가던 길에 언덕을 올라오는 점성술사와 마주쳤다. "이젠 아무도 내 얘기에 관심이 없네." 앵거스가 언짢은 어투로 말했다. "그 여자 남편을 체포했거든."

"폴 토머스를요? 왜요?"

"아니, 그 사람 말고. 그 여자의 첫 번째 남편."

"그 여자의……?"

"그래, 그 집에 투숙하고 있는 존 파커가 그 여자와 결혼했던 사이였다는 게 밝혀졌대."

해미시는 곧장 호텔로 갔다. 존 파커는 경찰에게 할당된 방 안에서 블레어와 두 명의 형사에게 포위돼 있었다. 해미시는 방문을 열고 고개를 들이밀었다.

"들어오지 말게." 블레어가 으르렁거렸다.

해미시는 방문을 닫고 그 자리를 떠났다. 그는 데이비엇 총경을 만나야겠다고 생각했다. 이 지역을 담당하고 있는 경찰 신분인 해미시 맥베스 본인도 심문에 참여해야 하는 것 아니겠는가.

호텔 앞마당으로 나가자 호텔 지배인이 있었다. "데이비엇 총경은 어디 있어요?" 해미시가 물었다.

"스트래스베인으로 돌아갔어요. 선박 하나를 습격해서 마약범 일당을 소탕하는 데 성공했나 봐요." 존슨 씨가 말했다. "이 마을 살인 사건이 보잘것없는 게 돼 버렸어요."

해미시는 로럴 민박 쪽으로 출발했다. 폴 토머스는 정원에서 일하고 있었다.

"첫 번째 남편에 관한 건 다 뭡니까?" 해미시가 물었다.

잡초를 뽑던 폴이 천천히 허리를 펴더니 흙 묻은 손으로 이마를 문질렀다. "나도 놀랐어요." 그가 당혹스러운 표정으로 말했다. "왜 아내는 내게 그런 얘기를 털어놓지 않았을까요?"

"그들 두 사람이 다투거나 그런 일은 없었나요?"

"네, 두 사람은 그냥 낯선 사람들처럼 굴었어요. 트릭시를 죽인 건 분명히 그자일 겁니다. 그렇지만 난 이제 신경 안 써요. 그 어떤 것도 트릭시를 다시 살려 놓을 수는 없으니까요." 그의 양 볼 위로 눈물이 흘러내렸고, 해미시는 어색하게 그의 어깨를 다독여 주었다.

"그의 방을 잠시만 둘러봐도 될까요?"

"지금 감식반 사람들로 꽉 차 있어요. 이미 한 차례 다 뒤집어엎었으면서도 또 눈에 보이는 건 모조리 다 털어 대고 있어요. 대체 뭘 찾고 싶은 건지 모르겠어요. 제발 어서 다들 돌아가고 나 혼자 있게 해 줬으면 좋겠네요."

해미시는 경찰서로 돌아갔다. 그리고 때마침 프리실라가 운전해 오는 모습을 볼 수 있었다.

그는 프리실라를 만났다는 사실이 기쁘기는 했지만, 놀랍게도 자신의 가슴이 더는 요동치지 않는다는 것을 깨달았다. 그들은 부엌에 자리 잡고 앉았고, 해미시는 점성술사와 트릭시의 첫 남편에 관한 이야기를 프리실라에게 들려주었다.

"분명히 이 마을 사람 중에 하나가 앵거스를 독살하려 했을 거예요." 내내 집중해서 듣고 있던 프리실라가 말했다.

"왜요?"

"음, 누군가 앵거스 맥도널드가 범인을 예측해 낼까 봐 겁을 집어먹은 거죠. 그런데 이 마을 사람이 아니면 그럴 리가 없거든요. 폴 토머스나 그 첫 남편이라는 사람은 천리안 같은 건 믿지 않을 거예요."

해미시는 차를 좀 더 따랐다. "내 생각에는 겁을 집어먹은 살인범이라면 뭐든 믿고 받아들일 준비가 돼 있을 것 같아요. 난 부디 블레어가 아무런 증거도 없이 존 파커를 체포한 게 아니길 바랄 뿐이에요. 나도 그와 얘기를 좀 나눠 봤으면 싶어요."

"블레어는 무슨 짓이라도 할 수 있는 사람이에요. 어머, 저거 정말 영리한 방법이네요." 프리실라가 방충 문을 설치한 것을 알아차리고 말했다.

"미국인 여행객 부부가 들렀다가 아이디어를 줘서 만들어 봤어요." 해미시가 말했다. "그 칼 스타인버거라는 여행객과 얘기를 나눠 볼 수 있으면 좋으련만. 그들도 토머스 부부의 집에 이틀간 머물렀거든요. 어디서 왔다고 그랬더라? 아 맞다, 코네티컷 그리니치에서 왔다고 그랬어요. 지금쯤은 집에 돌아갔을 거예요. 잠시만요, 프리실라. 그리니치 경찰서로 전화를 걸어서 칼 스타인버거 씨의 전화번호를 문의해 봐야겠어요."

그가 부엌을 반쯤 가로질러 갔을 참에 프리실라가 자리에서 일어섰다. "난 신경 쓰지 말아요, 해미시. 앤절라 브로디에게 가 봐야 할 것 같거든요. 그녀가 걱정되네요."

해미시는 걸음을 멈췄다. "왜요?"

"어쩐 일인지 그녀가 내 마음을 편치 않게 하네요. 사람이 자기 내면에 뭔가 문제가 생기지 않고서는 다른 사람의 개성을 그대로 가져다 쓸 수는 없는 법이거든요."

그녀는 해미시 맥베스에 관해 생각하면서 의사 선생의 집으로 차를 운전해 갔다. 물론 해미시는 전과 다름없이 친근했지만, 왠지 그의 우정에서 뭔가가 사라져 버린 듯한 기분이 들었다. 이제 해미시는 그녀 앞에서 수줍어하지도 않았고, 마주 보고 앉아 있어도 그녀에게만 관심을 기울이는 것 같지도 않았다. 프리실라는 그의 마음이 어느 정도는 그녀에게서 떠나 버린 것이 아닐까 불안했다.

프리실라는 부엌문을 향해 길을 따라 걸어 올라가서는 문 앞에서 손잡이에 손을 올린 채 가만히 서 있었다.

집 안에서 가느다랗게 윙윙거리는 소리가 들려왔다. 뭔가 친숙하게 느껴지는 소리였다. 갑자기 프리실라의 마음속에 트릭시의 모습이 선명하게 되살아났다. 그녀는 문을 밀어 열고 안으로 들어갔다.

앤절라는 야윈 얼굴을 잔뜩 경직시킨 채 물레를 돌리며 앉아 있었다. 청바지에 운동화 차림이었고, 위에는 '박쥐를 보호합시다'라는 전설적인 문구가 앞쪽에 찍힌 평퍼짐한 흰색 티셔츠를 입고 있었다.

그녀가 고개를 들어 프리실라를 바라봤다. "어머, 할버턴스마이스 양." 앤절라가 자리에서 일어서며 말했다. "커피 한잔 하실래요?"

프리실라는 번쩍번쩍 광이 나는 살균된 부엌을 둘러봤다. 앤절라가 커피콩을 분쇄기에 집어넣었다. 니카라과산 커피였다. 프리실라는 '당연히 니카라과겠지'라고 생각했다. 그녀는 식탁에 자리 잡고 앉았다. 머리 스타일 하나 바꿨다고 사람이 저렇게 달라 보이다니, 프리실라는 놀랍다는 생각이 들었다. 앤절라의 파마머리는 전혀 길어 나올 기미를 보이지 않았다. 단단히 말린 꼬불꼬불한 머리칼이 그녀의 머리 위에서 반란을 일으키는 것만 같았다. 마치 울워스에서 산 싸구려 가발을 뒤집어쓴 사람처럼 보였다. 단단히 다물고 있어서 그런지 입술은 전에 없이 얇아 보였다.

"집에 물레를 가지고 계신지 몰랐어요." 프리실라가 말했다.

"폴이 줬어요." 앤절라가 말했다. "가여운 사람. 집 안에 이걸 두고 싶지 않다고 하더라고요. 이걸 볼 때마다 트릭시가 이 앞에 앉아 있을 것만 같은 기분이 든대요."

"요즘 어떻게 지내세요?"

"별로 잘 못 지내요." 앤절라가 기계에 커피를 집어넣으며 대답했다. "흡연 반대 운동 모임이 어젯밤에 있었어요. 그런데 몇 명이나 나타난 줄 아세요? 두 명이에요. 그중 하나는 동네 게으름뱅이 지미 프레이저였는데, 글쎄 거기가 금연 모임인

줄 알고 왔다지 뭐예요."

"그게 차라리 더 나은 방법일 것 같네요." 프리실라가 말했다. "무조건 반대만 하면서 몰아붙이는 것보다는 사람들이 금연하도록 돕는 게 더 많은 결과를 끌어낼 테니까요."

"정신이 제대로 박힌 사람이라면 누구든 흡연이 얼마나 위험한 행동인지 알아야만 해요."

"그렇지만 그건 중독이에요. 음주나 설탕 중독 같은 것과 마찬가지라고요. 언젠가 중독자들에 관한 기사를 읽은 적이 있는데, 그 사람들은 노골적이고 공격적인 금지보다는 어떻게 중독에서 벗어날 수 있는지 제안해 주는 데 더 쉽게 마음을 연다고 해요. 미국에서 금주법을 시행했을 때 사람들이 메틸알코올 같은 역겨운 걸 마시고 시력을 잃기까지 했잖아요. 전술 마시는 게 허락되던 시절보다 금주법 시행 기간에 더 많은 사람이 술을 마셨을 거라고 확신해요."

앤절라가 일자로 입술을 꾹 다물었다. "트릭시는 사람들이 자기 자신에게 정말 필요한 게 뭔지 잘 모르는 경우가 많다고 말하곤 했어요. 그래서 손을 잡아 이끌어 줘야 한다고요."

"세상을 상대로 그렇게 잔소리를 하기 시작하면 쓸데없이 적만 많아질 거예요, 브로디 부인."

"그거 정말 예의라고는 손톱만큼도 없는 말이군요!"

"예, 정말 그러네요." 프리실라가 회한의 표정을 지으며 말했다. "하지만 부인이 걱정돼서 그래요. 트릭시 토머스가 이 마을에 나타나기 전에는 훨씬 행복한 분이었잖아요."

"난 반만 살아 있는 사람이었어요." 앤절라가 냉혹하게 말했다. "세상에는 해야 할 일이 엄청나게 많아요. 트릭시는 사람들이 그냥 퍼질러 앉아서 아무것도 안 하니까 세상에 되는 일이 아무것도 없는 거라고 말했어요." 그녀가 깊이 숨을 들이마시고는 의기양양하게 말했다. "나는 로흐두를 비핵지대로 선언할 예정이에요."

"아, 브로디 부인! 지금 제정신이세요?"

"지금 위원회를 구성 중이에요."

프리실라는 당황스러웠다. 앤절라 브로디에게 문제가 생겨도 크게 생긴 것 같았다. 프리실라는 혹시 의사의 아내에게 갱년기가 찾아온 것은 아닐까 의문이 들었다. 그녀는 갈수록 더 비쩍 마르고 있었다. 전에는 버들가지처럼 하늘거리는 몸매였다면, 지금은 당장에라도 부러질 것 같은 앙상한 몸매였다. 그녀의 손가락은 나뭇가지 같았고, 양 볼은 움푹 패어 있었다. 프리실라는 갑자기 밖으로 나가고 싶어졌다. 구식 파리잡이 끈끈이가 부엌 전등에 매달려 있었고, 그 끈끈한 코팅 막에 들러붙은, 죽어 가는 파리들이 비참하게 윙윙거렸다.

"갑자기 할 일이 있던 게 생각났어요." 프리실라는 자리에서 일어서며 거짓말을 했다. 그녀는 한 방울씩 느리게 떨어져 내리는 커피가 주전자를 채울 때까지 더는 이 숨 막히는 분위기 속에 가만히 앉아 기다릴 자신이 없었다.

그녀는 문 쪽으로 돌아섰다. "그 얘기 들으셨어요, 브로디 부인? 앵거스 맥도널드가 오늘 누군가 자기를 죽이기 위해 독이 든 위스키병을 그의 집 문밖에 놓아두고 갔다고 주장했대요."

"한심한 노인네." 앤절라가 딱 잘라 말했다. "그 노인네가 자기 몸을 움직여서 일한 지가 몇 년은 되고도 남을 거예요. 그는 물론이고 그의 예언도 어리석기 그지없어요."

프리실라는 밖으로 나가 따뜻하고 축축한 공기를 깊이 들이마셨다. 바람은 어느새 잠잠해졌고 이제는 가느다란 빗줄기가 내리고 있었다. 그녀는 해미시가 하기로 했던 전화 통화의 결과가 궁금했다.

해미시는 뭐든 마음만 먹으면 놀랍도록 쉽게 찾아냈다. 코네티컷 그리니치에 있는 경찰서에서는 칼 스타인버거라는 사람을 알고 있었다. 그는 마을 외곽에서 작은 전자 공장을 운영하고 있었다. 그들은 해미시에게 그의 연락처를 주었고, 해미시는 전화를 걸어 칼 스타인버거를 바꿔 달라고 부탁했다.

평상시 고지 사람 방식대로 해미시는 곧바로 본론으로 들어가지 않고 괜히 방충 문과 파리 떼와 날씨에 관해 별로 중요하지 않은 얘기들을 늘어놓았다. 마침내 스타인버거 씨가 그의 말을 끊고 들어와 조심스럽게 물었다. "저기, 경관님, 이렇게 전화 통화를 하게 되어 반갑기는 하지만 제가 좀 바빠서요."

"실은 토머스 부부에 관해 여쭤 보려고 전화했습니다." 해미시가 말했다. "토머스 부인이 독극물에 살해당했거든요."

"맙소사! 무슨 독이오?"

"비소요."

"쥐약 아닌가요? 그런 종류 맞죠?"

"그런데 집 안에서는 아무것도 발견하지 못했어요." 해미시가 말했다. "또 다른 투숙객 존 파커 씨는 그녀의 첫 번째 남편이라는 사실이 밝혀졌고요."

"드릴 말씀이 별로 없네요." 스타인버거 씨가 말했다. "우리가 그녀를 별로 마음에 들어 하지 않았다는 사실만 제외하고요. 아내는 그녀가 자기 남편을 바보처럼 보이게 만드는 데 아주 뛰어난 재주를 타고났다고 하더군요. 그렇지만 우린 별 관심을 기울이지 않았어요. 숙소는 깨끗했고, 음식은 훌륭했죠. 토머스 부인은 특히 빵을 잘 굽더라고요. 아마 아내와 저 둘 다 살이 꽤 붙었을 겁니다. 그렇지만 토머스 부인이 구워 준 케이크를 대놓고 맛있게 먹을 수가 없더라고요. 남편 되는 분이 다이어트를 하는 중이라 아예 식탁에 앉지도 않고, 우리 입안으로 들어가는 케이크 조각을 당장에라도 빼앗아 먹을 듯이 노려보기만 했거든요. 그 존 파커라는 사람은 자기 방에서 식사를 했고, 산책하지 않을 때면 방에 들어앉아 타자기만 두

드려 댔습니다. 더는 들려 드릴 얘기가 없네요."

해미시는 그에게 고맙다는 인사를 하고 수화기를 내려놓았다. 그는 존 파커가 수사관들에게 무슨 얘기를 털어놓았을지 궁금했다. 그는 식료품점으로 가서 위스키 한 병을 샀다. 이러다가는 오늘 밤 총을 들고 나가서 대령의 뇌조 몇 쌍을 잡아 가지고 스트래스베인에 가 팔아 사건 수사에 들어가는 모든 위스키값을 충당해야 하는 건 아닐까 하고 해미시는 생각했다.

그는 다시 호텔로 걸어가서 낚싯배들을 바라보며 밖에 서 있었다.

마침내 그의 귀에 블레어의 시끄러운 목소리가 들려왔다. 해미시는 호텔 벽담에 붙어 섰다. 블레어는 그에게 등을 보인 채 두 형사와 마주하고 서 있었다. 존 파커의 모습은 어디에도 보이지 않았다. 형사 지미 앤더슨이 시선을 돌리다가 담 위쪽으로 해미시의 머리가 나타나는 것을 보았다. 해미시는 위스키병을 들어 올렸다. 앤더슨이 은밀히 고개를 끄덕여 보였다.

해미시는 다시 경찰서로 돌아가서 자리를 잡고 앉아 기다렸다.

30분 후, 앤더슨이 나타났다. "내가 그 얘기를 들려주길 바란다면," 그가 말했다. "술부터 한 잔 줘요. 블레어가 잔뜩 골이 났어요. 존 파커의 유죄를 입증할 방법이 없거든요."

해미시는 앤더슨에게 술을 한 잔 따라 주고 말했다. "그래,

파커의 과거 배경은 어땠던가요?"

"과거 마약 중독자였더라고요. 대마초와 코카인 약간. 실직 상태였고, 그러다가 사회복지사였던 트릭시 토머스와 만납니다. 그녀가 그를 맡게 되는 거죠. 그리고 트릭시가 그의 작품을 보게 되죠. 그걸 들고 출판사와 에이전시를 돌아다니면서 출판해 달라고 조릅니다. 그리고 그가 마약에서 벗어나게 하는 데 성공해요. 마침내 그도 돈을 벌기 시작합니다. 그런 다음 그녀가 어떻게 했다고 생각해요?"

"그와 이혼했겠죠." 해미시가 말했다.

"어떻게 알았어요?"

"나도 몰랐어요." 해미시가 천천히 말했다. "그냥 운이 좋아서 맞힌 거죠. 어쨌든 그가 지금도 트릭시 토머스를 사랑하고 있는 건가요? 폴 토머스도 그가 전 남편이라는 사실을 처음부터 알았던 거고요? 트릭시와 결혼할 때 그 사실을 알고 있었을 게 틀림없어요. 나한테는 몰랐다고 말했지만, 분명히 알고 있었을 겁니다."

"아니요, 존 파커 말로는 트릭시가 이혼 후에 자기 성을 다시 쓰기 시작했다고 해요."

"그래도 알고 있었을 거예요. 재혼하려면 이혼 확인서가 있어야 하니까요."

앤더슨이 씩 미소 지었다. "알고 보니 결혼식도 트릭시가 혼

자 다 준비했더라고요. 폴이 기억하는 거라고는 등록 사무소에
가서 트릭시와 나란히 선 채 '네'라고 대답한 것뿐이랍니다."

"그게 다 언제 일어난 일입니까?"

"올해요."

"그럼 파커하고 이혼한 건 언제예요?"

"10년 전요."

"아이는 없었대요?"

"네, 트릭시가 아이를 가질 수 없답니다. 위스키 좀 더 마실
수 있을까요?"

해미시는 그에게 술을 한 잔 더 따라 주었다. "파커는 트릭
시를 어디 가면 찾을 수 있을지 어떻게 알았답니까?"

"트릭시가 그에게 편지를 썼대요. 그가 책의 영화 판권을
팔았다는 소식을 들었나 봐요. 아마 잡지 같은 데 기사가 나갔
겠죠. 편지에서 트릭시는 자기가 민박을 운영하는데, 투숙객
이 필요하다고 하더랍니다. 그는 트릭시가 이혼할 때 위자료
도 요구하지 않았기 때문에 마음에 빚이 있었던 거죠. 그런데
트릭시는 폴이 두 사람의 관계에 대해 몰랐으면 했답니다. 어
쨌든 그는 트릭시 덕분에 새로운 인생을 시작하고, 또 이런저
런 일들이 풀려 나가게 된 것을 갚아 줄 수 있겠다 싶었던 거
죠. 그래서 그 겁쟁이 양반이 이리로 온 겁니다. 그는 일주일
에 100파운드씩 숙박비를 냈다고 해요. 폴은 몰랐고요. 트릭

시가 돈을 받았으니까요. 그것도…… 현금으로. 소득세도, 부가세도 없는 거죠."

"유서는 남겼다나요?" 해미시가 물었다.

"네, 폴에게 모든 걸 남겼어요. 집이야 어차피 그의 소유가 되겠지만, 그것 말고도 현금 2만 파운드를 재산으로 남겼더라고요."

"늘 가난한 척하던 사람이 남긴 금액치고는 상당하네요." 해미시가 말했다. "하지만 사람을 죽일 정도로 큰 금액은 아니군요. 저기요, 어쩌면 앤더슨 형사님이 날 좀 도와줄 수 있을지도 모르겠네요." 해미시는 앤더슨에게 이언 건과 박쥐에 관해 털어놓았다.

"내가 블레어에게 말하죠." 앤더슨이 말했다. "파커가 살인범이라는 사실을 어떻게든 증명해 보이려고 안달하고 있어서 다른 말은 아예 들으려고 하지도 않을 겁니다."

"있잖아요." 해미시가 다급하게 말했다. "난 파커와 얘기를 좀 나눠 볼 생각이니까, 위스키병 감식 결과가 나오면 내게도 알려 줘요."

"좋아요." 앤더슨이 위스키 잔을 비우며 말했다. "술병은 멀리 치우지 말아요."

해미시가 찾아갔을 때, 존 파커는 자기 방에서 타자를 치는 중이었다.

"저기요, 파커 씨." 해미시가 말했다. "내가 알고 싶은 건, 왜 나한테 트릭시 토머스와는 초면이라고 새빨간 거짓말을 한 겁니까?"

"난 할 일이 산더미처럼 쌓여 있어요." 존 파커가 말했다. "내가 그녀를 살해한 게 아니에요. 그러니 경찰의 심문 대상이 되고 싶지도 않았어요. 당신도 내가 과거에 약물 중독자였고, 몇 가지 범법 행위도 저질렀었다는 얘기를 들었을 겁니다. 그 래서 나는 경찰을 별로 좋아하지도 않아요."

"나도 거짓말쟁이는 별로 좋아하지 않습니다." 해미시가 차 갑게 말했다.

"그건 미안하게 됐어요, 순경. 그렇지만 어쩔 수 없었을 뿐 이에요."

"그럼 트릭시와의 결혼 생활이 어땠는지 들려줄 수 있나 요?"

"별로 할 말도 없어요. 트릭시가 날 찾아냈을 때, 난 완전히 쓰레기 같은 인생을 살고 있었죠. 그녀가 날 약물 중독 재활 센터에 집어넣고 입원비도 자기가 직접 냈어요. 내가 그 안에 있을 때 내 원고를 발견한 것도 그녀예요. 내가 퇴원하자 그녀 는 날 데리고 출판사와 에이전시를 돌아다녔어요. 내 원고를 수정해서 다시 타자를 쳐 준 것도 그녀였죠. 트릭시는 나 대신 화장실 가는 것 말고는 뭐든 자기가 다 하려고 들었어요." 그의 목소리가 갑작스럽게 흉포해졌다. "있잖아요, 사람이 누군가에게 영원히 고마운 마음을 품을 수는 없는 법이거든요. 그래서 그녀가 이혼하자고 했을 때, 난 너무 기뻐서 믿을 수가 없을 지경이었어요."

해미시가 눈썹을 추켜세웠다. "그럼 왜 돌아온 건가요?"

그가 가느다랗게 한숨을 내쉬었다. "아마도 내가 그녀에게 여전히 고마움을, 그것도 아주 큰 고마움을 느끼고 있었던 것 같아요. 그녀를 다시 보고 싶었어요."

"그래서 만나니 어땠습니까?"

"괜찮았어요." 그의 목소리에는 놀라움의 기색이 배어 있었다. "그녀는 남편 폴뿐만 아니라 마을 여자 전부를 손아귀에 쥐고 있더군요. 민박은 안락했고, 집도 예뻤어요. 난 해야 할 일도 산더미처럼 쌓여 있었고요."

해미시는 그의 타자기를 바라봤다. 존 파커는 책의 제10장을 시작하고 있었다. 그가 진실을 말하고 있다는 증거였다. "루크 멀리건은," 해미시가 읽기 시작했다. "바짓가랑이에 매달려 있는 롤라를 미소 지으며 내려다봤다. 그러자 그의 우락부락한 얼굴에 좀처럼 나타나지 않는 다정한 표정이 스치듯이 지나갔다."

그의 옆에 있는 책상에는 원고 뭉치가 놓여 있었고, 그 맨 위에 제목이 적혀 있었다. 제목은 『자르의 아마존 여인들』이었다.

해미시가 원고를 가리키며 말했다. "서부 소설 같지는 않은데요."

존 파커의 칙칙하고 단정한 얼굴에 전보다 훨씬 배타적인 표정이 서렸다. "공상과학 소설입니다." 그가 무뚝뚝하게 말했다. 그러고는 일어서서 원고를 집어 들더니 낡은 여행 가방을 열고 그 안에 원고를 넣어 버렸다. 해미시는 갑자기 원고를 읽어 보고 싶은 마음이 간절해졌다.

"토머스 부부의 관계는 어떤 종류였나요?"

"그 정도는 대답해 드리죠." 존이 말했다. "일반적인 부부 사이였습니다. 트릭시가 마치 어미 닭처럼 그를 돌보려고 수선을 떨어 댔는데, 폴은 그걸 좋아하는 것 같았어요."

해미시는 자리에서 일어섰다. "마을을 떠나지 마시라는 얘기는 이미 들으셨을 줄로 압니다."

"예, 그 블레어라는 자가 날 살인범으로 기소하려고 아주 단단히 마음을 먹은 모양이더군요. 내가 부당한 체포로 그를 고소하겠다고 협박하지 않았더라면, 정말 그러고도 남았을 겁니다."

해미시는 방을 나서려고 일어섰다. 그의 눈은 방 안을 두리번거리고 있었다. 마을 사람들에게서 얻어 온 고가구가 어떤 것이든 간에 트릭시는 이미 그것들을 경매장으로 다 가져다 놓은 게 틀림없어 보였다. 존의 방을 채우고 있는 가구는 인버네스에서 사들여 집에서 조립한 것으로 보이는 하얀색에 현대식 디자인이었다.

"마을 사람들이 쑥덕거리는 얘기를 듣자 하니, 경관님이 할버턴스마이스 가족의 친구라고 하더군요." 존 파커가 말했다.

해미시는 놀란 눈치였다. "실은 그 집 딸의 친구입니다." 그가 말했다. "할버턴스마이스 대령은 나를 상대할 만큼 한가한 분이 아니거든요. 그건 왜 물어보시죠?"

"그 성을 좀 둘러보고 싶어서요."

"그리 오래된 성도 아니에요. 빅토리아 시대에 지은 고딕식 흉물 덩어리에 불과해요."

"그렇다고 해도 책 쓰는 데 도움이 될지 몰라서요."

해미시는 재빨리 생각해 봤다. 만약 존 파커가 성에 올라가 있다는 사실을 확신할 수만 있다면, 그가 그토록 숨기려 애쓰는 원고의 내용을 몰래 살펴볼 수도 있지 않겠는가.

"내가 약속을 잡아 보도록 하죠." 해미시가 말했다. "내일은 어떤가요?"

"난 좋아요."

"내가 할버턴스마이스 양에게 전화를 걸어 보고 그녀가 뭐라고 하는지 다시 와서 알려 드리죠."

해미시가 경찰서로 돌아갔을 때, 마침 지미 앤더슨도 경찰서에 도착했다.

"술 한 잔만 더 할게요." 앤더슨이 간청했다. "블레어가 화가 잔뜩 나서 고래고래 고함을 질러 대고 있어요. 그 점쟁이 노인네가 준 병 속에 정말 비소가 들어 있었거든요."

"그 사실이 언론을 떼로 끌어들이겠네요." 해미시가 침울하게 말했다. "좋은 기삿거리잖아요. '나는 내 죽음을 봤어요, 예언자가 말한다.' 그래, 블레어는 뭐 하고 있어요?"

"내일 앵거스 맥도널드를 체포하겠다고 협박을 해 대는 중이에요."

"왜요?"

"고의로 경찰 수사를 지연시켰다고요. 언론이 자기 이야기를 기사로 쓰게 하려고 그 노인네가 자기 위스키에 직접 비소를 탔다는 게 블레어의 주장이에요."

"그랬을 수도 있죠."

"이젠 데이비엇 총경도 노발대발 난리가 났어요. 블레어가 빨리 사건을 해결하지 못하면, 책임자를 누군가 다른 사람으로 바꿔 버리겠대요."

해미시는 슬프게 고개를 저었다. "블레어 같은 사람에게 그런 말을 하다니 어리석은 일이에요. 이제 경감은 머릿속에 떠오르는 첫 번째 사람을 무조건 체포할 겁니다."

"음, 일단 술이나 한잔합시다."

그들은 마주 앉아서 사건에 관해 대화를 나누었다. 그러다가 앤더슨은 블레어가 스트래스베인으로 돌아가고 싶어 조바심을 내며 자신을 찾고 있으리라는 사실을 문득 깨달았다.

그가 떠난 후, 해미시는 토멜 성으로 전화를 걸어 프리실라를 바꿔 달라고 했다.

"할버턴스마이스 양은 집에 없습니다." 젱킨스가 말했다.

"이봐요, 얼른 전화 바꿔요, 이 끔찍한 속물 같으니. 빨리 바꾸지 않으면 내가 당장 성으로 달려가서 당신 앞니를 왕창 날려 버릴 테니 그럴 줄 알아요." 해미시가 유쾌하게 말했다.

프리실라가 전화를 받더니 물었다. "젱킨스에게 대체 뭐라고 한 거예요? 아주 단단히 겁을 집어먹었던데요. 당신이 전화하기 전에 내 방으로 마실 걸 가져다주기까지 해 놓고 내가 집에 있는지 몰랐다고 하더라고요."

"신경 쓰지 말아요. 부탁할 게 있어서 전화했어요." 해미시는 존 파커에 대해 이야기하고, 적어도 한 시간만 그를 성에 잡아 둘 수 있겠느냐고 물었다.

"아, 물론이죠." 프리실라가 말했다. "그럼 내일 밤에 호텔에서 나랑 저녁 식사 같이하는 거 어때요?"

"글쎄요, 그 시간에 짬을 낼 수 있으려나 모르겠네요. 살인 사건 관련해서 뭔가 단서를 찾아낼 것 같은 느낌이 들거든요."

잠시 침묵이 흐르더니 프리실라가 대답했다. "좋아요, 그럼 다음에 먹죠, 뭐."

해미시는 고맙다고 인사를 하고 수화기를 내려놓았다. 프리실라는 수화기를 내려놓기 전에 잠시 전화기 옆에 가만히 서서 생각에 잠겼다. 지금까지 해미시 맥베스는 그녀의 저녁 초대를 거절한 적이 한 번도 없었다. 어쩌면 그에게 여자 친구가 생겼을지도 모르겠다는 생각이 들었다. 프리실라는 갑자기 기분이 나빠져서 집사를 찾아가 그녀를 찾는 친구들의 전화에 거짓말을 하는 그의 행동에 대해 장황한 잔소리를 늘어놓았다.

해미시는 모자를 집어 들고 타우저를 부른 뒤 순찰을 하기 위해 밖으로 나섰다. 금요일 밤이었기에 그는 누군가 술을 마시고 운전대를 잡을 생각을 하고 있지는 않은지 살펴보러 술집으로 가야겠다고 마음먹었다.

매클레인의 집 앞을 지나갈 때, 성난 목소리가 들리더니 곧이어 여자 목소리가 크게 비명을 질렀다. 그는 문으로 달려가서 벌컥 열어젖힌 후 안으로 들어갔다.

아치 매클레인과 그의 아내가 각각 식탁 양쪽 끝에 서 있었다. 매클레인 부인은 방금 한 대 맞은 사람처럼 볼을 한 손으로 감싸 쥐고 있었다.

"무슨 일입니까?" 해미시가 물었다.

"사사건건 참견하지 말라고, 이 후레자식아." 아치가 고함을 질렀다. 그러고는 주먹을 치켜든 자세로 식탁을 돌아 해미시를 향해 돌진했다. 타우저는 식탁 밑으로 기어들어 가 납작 엎드렸다. 해미시는 긴 팔을 뻗어 아치의 손목을 잡고는 솜씨 좋게 그의 팔을 등 뒤로 비틀어 버렸다.

"무슨 일인지 얘기해 봐요, 아치. 안 그러면 팔을 분질러 버릴 겁니다."

"우리 남편 팔 놓지 못해요." 매클레인 부인이 소리 질렀다. "그냥 부부 싸움 좀 하는 중이에요. 그게 다예요." 해미시의 날카로운 눈은 그녀가 등 뒤로 무언가를 숨겨 든 채 서 있다는 사실을 간파했다. 그리고 만약 그녀가 그것을 숨겨야 한다고 단단히 결심하지 않았다면, 남편을 돕기 위해 자신에게 바로 달려들었으리라는 것도 확신했다.

"그래, 우리 일에 상관 말고 어서 가라고." 아치가 으르렁대듯이 위협적으로 말했다.

해미시는 그의 팔을 풀어 주고 그를 의자 쪽으로 밀어 버렸다. 그리고 수첩과 연필을 꺼냈다. "처음부터 얘기해 봐요." 그가 명령했다. "무슨 일이 있었던 겁니까?"

"뭘 적으려고 그러는 거야?" 아치가 화를 냈다. "이러면 곤란해, 맥베스. 수색영장 있어? 자네가 무슨 권리로 남의 집에 멋대로 들어오는 거야?"

172

처음 매클레인 부부가 보기에 해미시는 그냥 편안하게 수첩을 내려다보며 서 있는 것 같았다. 그러나 다음 순간, 순경은 섬광처럼 움직여 매클레인 부인의 뒤로 돌아가더니 그녀가 손에 움켜쥔 것을 있는 힘껏 낚아챘다. 매클레인 부인이 알아들을 수 없는 비명을 지르더니 그의 얼굴을 할퀴려고 달려들었다. 그러나 해미시는 이미 뒤로 물러난 후였다. 식탁 아래서 타우저가 애처롭게 낑낑거렸다.

해미시는 자기 손에 들린 깡통을 바라봤다. '데드오'라는 이름의 쥐약이었다.

"음, 그러니까," 그가 하얗게 질린 두 사람의 얼굴을 바라보며 조용히 입을 열었다. "그러니까, 그게."

"그 일하고는 아무 상관도 없는 거예요." 매클레인 부인이 말했다. "우리 집에 쥐가 있어요. 그래서 내가 일전에 잡화점에 가서 사 온 거예요."

"그럼 내가 파텔 씨에게 가서 물어보면 부인이 정확히 언제 이걸 사 갔는지 알 수 있겠네요." 해미시가 말했다.

긴 침묵이 흘렀다. "집사람은 거기서 산 게 아니네." 아치가 마침내 입을 열었다. "내가 이언 건에게 부탁해서 그가 코일에서 사다 준 거야." 이렇게 말하고 나서 그는 아내에게 벌컥 화를 냈다. "이 여편네야 그냥 입이나 다물고 있었으면……"

"지금 내 잘못이라는 거야!" 매클레인 부인이 잡아먹을 듯한 기세로 소리 질렀다. "그렇다면 당신 속옷 서랍 깊숙한 곳에 그게 대체 왜 들어가 있던 건데?" 그녀가 손으로 자기 입을 막더니 놀란 눈으로 해미시를 바라봤다.

"어떻게 된 건가요, 아치?" 해미시가 물었지만, 그는 대답하지 않았다. "나한테 말해 주든가, 아니면 스트래스베인으로 가서 블레어에게 당신이 털어놓든가 당신이 결정하라고요."

"알았어, 말할게." 아치가 지쳤다는 듯이 대꾸했다. 그리고 아내를 바라봤다. "내가 그걸 부엌 찬장 구석에서 발견했어. 밀가루라고 적힌 오래된 깡통 속에 숨겨져 있더라고. 그래서 안전한 곳에 두려고 내 방으로 가지고 갔던 거야."

"이 한심한 양반아." 그의 아내가 끼어들었다. "지난번에 진이 애들 데리고 차 마시러 왔던 거 기억 안 나? 로리는 이제 겨우 두 살이라고." 그녀가 해미시에게 설명했다. "그런데 그 애가 우리 집에만 왔다 하면 늘 부엌 싱크대 아래 들어가서 물건들을 다 끄집어낸다고요. 그래서 애들이 만지지 못하게 내가 감춰 둔 거예요. 그걸 집에 가지고 있은 지가 벌써 1년이나 됐어요. 정원 헛간에 쥐가 들끓거든요." 해미시는 자신이 매클레인 가족에 관해 알고 있는 사실을 마음속으로 짚어 봤다. 진은 그들의 딸이었고, 그 집에는 고만고만한 아이가 셋이나 있었으며, 여기저기 뒤지고 다닌다는 두 살 먹은 로리도 그 아이 중의 하나였다.

"그러니까," 해미시가 말했다. "남편은 아내가 토머스 부인을 독살했을지도 모른다고 생각했고, 아내는 남편이 살인을 저질렀을지도 모른다고 생각했던 거군요. 맙소사, 트릭시 토머스가 참으로 보기 힘든 부부 싸움의 원인을 제공한 셈이네요. 이건 내가 가져가죠. 어디서 산 겁니까?"

"파텔 씨 가게에서 1년 전에요." 매클레인 부인이 우물쭈물 대답했다. "어쨌든 난 아무 잘못 없어요. 그 여편네랑 손을 잡다니, 저 인간은 평생 내 손은 잡아 본 적도 없다고요. 심지어 연애할 때도 안 잡았어요." 그녀가 묘하게 애처롭고 애원하는 듯한 태도로 해미시를 향해 빨간 손을 내밀었다. 그 손은 오랜 세월 쉴 새 없이 끓는 물과 세제와 암모니아에 담갔다 빼길 반복한 탓에 추하게 보일 정도로 뒤틀려 있었다. 결혼반지는 빨갛게 반짝이는 손가락 마디 아래 부어오른 살점 속에 푹 박혀 있었다.

"오늘 일은 내일 블레어 경감에게 보고해야 할 것 같네요." 해미시가 슬프게 말했다. "이 깡통은 내가 가져갈게요."

매클레인 부부를 바라보고 서 있는 동안, 해미시는 만약 트릭시 토머스가 아직 살아 있었다면 자신이 그 여자를 살해했을지도 모르겠다는 몹쓸 생각을 했다. 매클레인 부부는 그래도 오랫동안 행복한 결혼 생활을 이어 왔지만, 이제 그들의 삶은 다시 전과 같을 수 없을 터였다.

그는 휘파람을 불어 타우저를 부른 후 밖으로 걸어 나갔다. 비가 그치고 나서 저녁 날씨는 맑게 개었고, 하늘에는 무수한 별이 쏟아질 듯이 총총 박혀 있었다. 타우저는 주인의 뒤를 살금살금 따라왔다. "너," 해미시가 녀석을 내려다보며 말했다. "이 천하의 겁쟁이 같으니라고." 타우저가 해미시의 손을 핥으며 천천히 꼬리를 흔들었다. "그렇지만 넌 정말 점잖은 개야. 양들을 해치는 개보다는 겁쟁이 개가 난 훨씬 좋아." 해미시가 허리를 굽혀 타우저의 귀 뒤쪽을 긁어 주자 녀석은 용서받았다는 기쁨에 위아래로 뛰며 좋아서 어찌할 줄 몰랐다.

파텔 부부의 가게는 불이 꺼져 있었지만, 해미시는 옆으로 돌아가서 가게 위쪽의 살림집으로 이어지는 층계를 올라갔다. 잠시 후 파텔 부인이 빨간색 사리* 차림으로 문을 열었다.

"아니, 맥베스 순경." 그녀가 성급하게 말했다. "대체 이 밤중에 무슨 볼일이 있어 온 거예요?"

전혀 스코틀랜드인처럼 생기지 않은 사람의 입에서 스코틀랜드 억양이 흘러나오는 것을 들을 때마다 해미시는 늘 깜짝깜짝 놀라곤 했다. 그는 남편분과 얘기를 나누고 싶어 찾아왔다고 말했다. 파텔 부인은 어쩔 수 없이 순경을 안으로 안내했다. 환하게 불이 밝혀진 거실은 천박하게 느껴질 정도로 총천

* 인도 여성들이 입는 전통 의상으로, 한 장의 기다란 면포 같은 것을 허리에 감고 어깨에 두르거나 머리에 덮어씌워 입는다.

연색 장식이 되어 있었다. 세 점이 한 벌로 된 플러시 천 재질의 소파 세트는 밝은 빨간색이었는데, 처음 배달할 때 씌워져 있던 비닐 커버가 여전히 덮여 있었다. 네 마리의 코끼리 조각상이 떠받치고 있는, 깎아 만든 탁자 위에 놓인 황금색 고리버들 바구니 안에는 거대한 튤립 조화가 꽂혀 있었다. 그리고 사방에서 카레 냄새가 풍겼다. 파텔 씨가 거실로 들어왔다. 그는 자그마한 체구에 피부는 갈색이었고, 눈에는 늘 물기가 서려 있었으며, 코는 매부리코였다.

"안녕하세요, 맥베스 순경." 그가 말했다. "술 한잔하실래요?"

"아니요, 오늘은 됐습니다. 파텔 씨, 내가 지난번에 질문했을 때 아무에게도 쥐약을 판매한 적이 없다고 하셨잖아요. 그런데 매클레인 부인이 1년 전에 여기서 쥐약을 사 갔다고 하던데요. 데드오라는 쥐약입니다."

"아, 나는 최근에 판 적이 있느냐고 묻는 줄 알았죠! 1년 전에 스트래스베인에 있는 도매상에서 쥐약 두 다스를 사들였어요. 나도 써 봤는데, 효과는 없더라고요. 쥐들이 죽기는커녕 느려지지도 않던데요."

"이게 무슨 의미인지 정말 모르시겠어요?" 해미시가 침울하게 말했다. "블레어 경감이 내일 나더러 집집이 돌아다니면서 쥐약 깡통을 다 찾아오라고 시킬 거라고요."

"에이, 그런 걱정 하지 말아요." 파텔 씨가 씩 미소 지으며 말했다. "대체 왜 블레어 같은 사람을 신경 쓰고 그래요? 그 인간은 멍청이라고요."

"그 멍청이가 바로 내 상관이에요. 어쨌든 파텔 씨, 혹시 그 쥐약을 사 간 사람들이 누군지 기억할 수 있겠어요?"

"웰링턴 부인이 하나 가져간 건 기억나요. 교회에 생쥐가 나왔거든요. 그때 우리 가게에는 생쥐 잡는 약은 없었어요. 그런데 웰링턴 부인은 덫 같은 걸 설치하고 싶지는 않다고 하면서 그냥 쥐약을 한번 써 보겠다고 하더라고요. 그다음에 의사 선생 댁에서도 가져갔어요. 브로디 부인요. 그 집도 역시 생쥐였죠."

"다른 집은요?"

"어디 보자. 아 그렇지, 그 부동산 중개인도 가져갔어요. 왜 윌릿츠 부부의 집을 토머스 부부에게 팔아 준 사람 있잖아요. 그 집이 워낙에 오랫동안 비어 있어서 쥐가 득실거렸나 봐요. 아니, 그렇게 생각했을 수도 있고요."

해미시는 그에게 고맙다고 인사하고 나서 블레어에게 전화를 걸어 쥐약에 관한 내용을 메시지로 남겼다. 그런 다음 존 파커를 만나러 갔다. 작가는 할버턴스마이스 양이 전화를 걸어 와 아침 10시까지 성으로 오라고 초대했다는 사실을 해미시에게 알려 주었다. 해미시는 블레어가 나머지 쥐약 통도 다 찾아서 대령하게끔 시키리라는 사실을 알고 있었다. 그리고 그 일이 존 파커가 조바심을 내며 숨기려 했던 원고를 읽어 볼 시간을 벌 수 있는 충분한 핑곗거리가 돼 줄 듯했다.

그는 존 파커에게 잘 자라는 인사를 남기고 해안가를 따라 술집으로 걸어갔다. 지극히 평범한 스코틀랜드 고지의 술꾼들을 만나는 게 차라리 위안이 될 것 같았다.

제6장

나는 클럽에서 침묵합니다.
나는 술집에서 침묵합니다.
나는 다리엔의 거대한 봉우리 위에서도 침묵합니다.
나는 나이프로 입안에 완두콩을 밀어 넣으며
평생 그렇게 살 것입니다.
나는 진정한 채식주의자이거든요.
소의 젖이 내 집을 오염시킨다면,
야만인이나 마시는 야생 암말의 젖도 마찬가집니다.
나는 포트와 셰리만 마실 것입니다.
왜냐하면 그것이야말로 매우 매우, 그리고 정말 정말
채식주의자에게 어울리는 음료이기 때문입니다.
G. K. 체스터턴

다음 날 아침, 예상했던 대로 마을 전체를 수색해서 쥐약 통을 찾아오라는 블레어의 지시사항을 전달하러 지미 앤더슨이 찾아왔다. "위스키 남은 것 좀 있습니까?" 그가 기대를 잔뜩 품은 목소리로 물었다.

"지금 아침 8시예요!" 해미시가 소리 질렀다. "나중에 와요. 블레어는 언론과 만날 채비는 다 마쳤답니까?"

"지금 고래고래 고함을 지르면서 있는 대로 성질을 부려 대고 있긴 하지만, 멋들어진 외출복 차림에 머리도 기름까지 발라 그 못생긴 귀 뒤로 말끔히 빗어 넘겨 놨어요."

해미시는 타우저를 정원으로 내보내 놓고 경찰서를 나섰다. 목사의 아내인 웰링턴 부인이 그의 첫 번째 방문이었다. 그녀는 부엌에 있었다. 목사는 불쾌한 표정을 짓고 앉아 숟가락으로 사발에 담긴 뮤즐리를 푹푹 찔러 보고 있었다. "앉으세요." 웰링턴 부인이 해미시를 향해 말했다. "커피 한 잔 드릴게요."

해미시는 부엌 식탁에 앉았다. "아주 훌륭하고 건강한 아침 식사를 드시네요." 해미시가 목사에게 말했다.

목사가 한숨을 쉬며 숟가락을 내려놓았다. "굶주림은 그 누구에게도 결코 좋은 일이 아니라네. 난 다시 어린애가 된 기분이야. 이걸 안 먹으면, 그 어떤 것도 얻을 수 없거든."

"음, 그게 천국으로 가는 길이죠." 해미시가 쾌활하게 말했다. "아시잖아요, '너희가 돌이켜 어린아이들과 같이 되지 아니하면'이라고."

"내 앞에서 성경 구절 인용하지 말게, 맥베스." 목사가 성마르게 반응했다. "그건 그렇고, 여긴 웬일인가?"

웰링턴 부인이 해미시 앞에 커피 한 잔을 가져다 놓았다. 그는 커피를 한 모금 마시고는 기침을 했다. "실은 데드오라는 쥐약을 찾아다니는 중입니다. 이 커피 정체가 뭔가요, 웰링턴 부인?"

"민들레 커피예요. 토머스 부인이 어떻게 만드는지 가르쳐 줬어요."

해미시는 슬프게 커피 잔을 밀어 놓았다.

"자네도 내 말이 무슨 뜻인지 이제 이해하겠지?" 목사가 말했다. "여기 점심때까지 계속 있다가 가게. 그러면 쐐기풀 수프도 먹을 수 있다네."

해미시는 그를 무시하고 말을 이었다. "쥐약이오. 1년 전쯤에 파텔 씨 가게에서 구매했다고 들었습니다. 생쥐 때문에요."

"예, 맞아요." 웰링턴 부인이 넓은 어깨 너머로 대답했다. 그녀는 싱크대에서 엄청난 기운으로 접시를 문질러 닦고 있었다. "그런데 별로 효과가 없었어요. 내 생각에 생쥐들은 쥐약 때문이 아니라 자기들이 자발적으로 물러간 것 같아요."

"지금 남아 있는 게 있나요?" 해미시가 참을성 있게 물었다.

"아니요, 몇 달 전에 버렸어요."

"정말입니까?"

웰링턴 부인이 돌아서더니 비누 묻은 손을 엉덩이에 문질러 닦았다. "난 거짓말하는 습관 같은 거 없어요, 맥베스 씨."

"그럼 전 이만 가 봐야겠습니다. 또 들를 데가 있거든요." 해미시가 자리에서 일어섰다.

"어머, 아직 커피도 다 안 마셨잖아요." 목사 부인이 다정하게 말했다.

"좀 바빠서요." 해미시는 모자를 집어 들고 부엌문 쪽으로 향했다. 목사도 그를 따라 밖으로 나왔다.

"이 모든 게 언제쯤 끝이 날 것 같은가?" 그가 애절하게 물었다. "당장에라도 커다란 티본스테이크와 감자튀김이 먹고 싶어 죽을 것 같네, 맥베스. 난 아무래도 그 가여운 토머스 부인인가 뭔가 하는 여자가 한 일이라고는 로호두 여자들에게 남편을 박해할 기회를 준 것뿐이 아닌가 하는 생각이 드네. 여자들의 내면에는 언제든지 밖으로 표출될 기회만 노리고 있는 강한 집단 괴롭힘의 성향이 있는 게 아닌가 싶어."

"살인 사건이 해결되고 나면 다들 평범했던 시절로 돌아가게 될 겁니다." 해미시가 말했다. "장례식이 언젠가요?"

"오늘이라네. 오후 3시."

"토머스 부인이 스코틀랜드 국교회 신도였다는 사실이 정말 놀랍네요."

"아니라네." 목사가 말했다. "그녀는 어느 종교에도 속해 있지 않네. 그렇지만 토머스 씨가 기독교장을 치르고 싶어 할 뿐이야."

"잉글랜드에서 가족이 장례식에 참석하러 온답니까?"

"아니. 그게 참 이상한 일 아닌가. 그녀의 부모님은 돌아가셨고, 형제자매는 하나도 없다고 하더군. 그렇지만 보통은 이모나 숙모, 삼촌, 또는 친구라도 찾아오는 법이거든. 어쩌면 그 여자는 사람들에게 인기가 없었을지도 모르겠어."

"맞아요." 해미시가 천천히 말했다. "그녀가 살아 있었다면 여기서도 시간이 갈수록 점차 인기를 잃었을 겁니다. 어쨌거나 이번 사건도 누군가 살인을 저지를 만큼 그녀를 미워했기 때문에 일어나지 않았겠어요. 혹시 토머스 부인에게 가구나 장식품 같은 걸 주신 게 있나요?"

"있네." 웰링턴 씨가 성난 목소리로 대답했다. "우리 집에 빅토리아 양식으로 만든 큰 물병과 대야가 있었거든. 조부모님 대부터 전해 내려오던 물건이라네. 그런데 그걸 아내가 그 여자에게 줘 버렸지 뭔가. 내가 얼마나 화를 냈는지 모르네. 요즘은 그런 귀한 물건 구하기가 하늘의 별 따기거든."

해미시는 빗방울이 떨어지는 건너편 호수를 잠시 바라보고 서 있었다. "집집이 쥐약을 찾아 돌아다니는 동안," 그가 입을 열었다. "그녀가 정말 가치 있는 물건을 가져간 게 없는지, 그것에 관해서도 알아보는 중입니다."

"아직 세상에 알려지지 않은 렘브란트 그림 같은 거 말인가?" 목사가 말했다. "참 대단한 여자 아닌가? 내 말은 골동품 거래상들이 늘 귀한 물건을 싼값에 매입하기 위해 이 집 저 집, 이 마을 저 마을 돌아다니고 있는데, 그 와중에 토머스 부인이 이 마을 사람들에게서 얼마나 많은 물건을 가져갔나 보란 말일세. 자네도 마을 저편에 사는 맥고원 부인이 골동품상들에게 오랫동안 시달려 왔으면서도 수완이 좋아서 절대로 자기 물건을 내주지 않았다는 걸 잘 알 거야. 그런데 토머스 부인이 맥고원 부인도 방문할 예정이었거든. 과연 그녀가 거기서도 성공을 했을지 궁금하기도 하구먼."

해미시는 한동안 맥고원 부인 댁에 들르지 않은 참이었다. 그녀는 혼자 외롭게 사는 신경질적인 노파였다. 해미시는 그 집을 방문하는 걸 별로 좋아하지 않았지만 그래도 이따금 의무감 때문에라도 찾아가서 그녀가 잘 지내는지 확인하곤 했다. 맥고원 부인은 언제라도 맥없이 쓰러져 세상을 뜰 수도 있는 처지였으나, 그런다고 해도 아무도 모를 터였다.

"가는 길에 한번 들러 봐야겠네요. 그 전에 각다귀들이 얼굴을 다 뜯어 먹지 않게 이것부터 좀 바르고요." 해미시가 해충 기피제를 꺼내 얼굴에 문질러 바르며 말했다. "지금 블레어 경감 기분이 상당히 언짢을 겁니다. 앵거스 맥도널드 살인 미수 건이 언론을 떼로 불러들였거든요."

"글쎄, 난 그건 잘 모르겠군. 지난 선거 때도 몇몇 방송국과 신문사에서 앵거스의 예측을 취재해 갔었거든. 그런데 하나도 맞힌 게 없었어. 그때 이후로 로흐두 외부 사람들은 그에게 아무런 관심도 보이지 않거든. 자네는 그가 정말 뭔가를 봤다고 생각하는가?"

"네." 해미시가 말했다. "지금까지는 거짓된 삶을 살아왔을지 몰라도, 일생에 단 한 번, 이번에는 뭔가 계시를 받았다는 생각이 듭니다."

그는 쥐약의 행방을 찾아 마을 사람의 집을 몇 군데 더 방문한 다음 10시가 되자 로럴 민박으로 향했다. 폴은 통나무를 패고 있었다. 그는 며칠 전보다 훨씬 뚱뚱했다. 일을 하려고 허리를 굽히자 뱃살이 허리띠 밖으로 자루처럼 축 늘어졌다. 해미시가 존 파커의 방을 한번 둘러보고 싶은데 방 주인이 그 사실을 알아차리는 것은 원치 않는다고 말하자, 폴은 무심하게 어깨만 으쓱해 보이고는 하던 일로 돌아갔다.

해미시는 존 파커의 방으로 가기 위해 카펫이 깔리지 않은 층계를 올라갔다. 빌라가 처음 지어졌던 빅토리아 시대 때는 층계에 두툼한 카펫을 깔아 놓았을 테고, 방마다 가구들이 넘쳐 났을 터였다. 집 안에서는 황량한 분위기가 감돌았다. 소나무 향과 소독약 냄새, 나무 타는 냄새, 싸구려 비누 냄새까지 뒤섞여 민박이라기보다는 유스호스텔같이 느껴졌다.

존 파커의 방은 잠겨 있지 않았다. 해미시는 문을 열고 안으로 들어갔다. 여행 가방은 흔적도 없이 사라져 버렸지만, 그는 옷장 꼭대기에서 그것을 찾아내 아래로 들어 내렸다. 가방을 열고 원고 뭉치를 꺼냈다. 그는 침대에 걸터앉아 재빨리 『자르의 아마존 여인들』원고를 훑어 내려가기 시작했다.

과거에 읽었던 몇몇 한심한 소설들이 떠올랐지만, 그중에서도 이 작품이 최악이라는 생각이 들었다. 우선 작품에 등장하는 남자들은 여자들의 노예였고, 보름달이 뜨는 밤이면(자르에는 한 달에 보름달이 다섯 번이나 떴다) 남자들은 여자들에게 불려 가 함께 잠자리를 해야 한다는 내용이 다채로운 미사여구로 묘사돼 있었다. 그는 하품을 하면서 읽어 내려갔다. 그러다가 서부물 시리즈의 주인공 루크 멀리건과 비슷하고 역시 우락부락한 용모를 자랑하는 주인공 루크 젠슨이 머리가 셋 달린 괴물 질카가 지키고 있는, 매우 찾기 힘든 금지된 식물 사이타를 발견하게 된다. 그는 사이타로 독을 만들어 내 아마존 여자들의 우두머리를 독살한다. 그러자 그녀를 받들던 오만불손한 아마존 여인들이 매력적인 금발의 여인들로 변해 남자들에게 사랑을 속삭이고, 자신들을 다시 '진짜 여자'로 돌아가게 해 준 루크에게 한없이 고마운 마음을 표한다.

해미시는 원고를 내려놓았다. 그렇다면 트릭시가 존의 아마존 여인이었다는 말인가? 소설 속 여인들의 우두머리는 놀랄 만큼 트릭시와 닮아 있었다. 물론 그녀는 기다란 리넨 셔츠와 청바지와 운동화 대신 청동 브래지어에 사슬을 걸고 허리에는 가죽 샅바를 차고 있다는 점이 다르기는 했다.

그는 조심스럽게 원고를 다시 여행 가방에 집어넣고, 가방을 옷장 위에 올려놓은 후 아래층으로 내려갔다. 케네디 부인이 핼쑥한 자기 아이들과 부엌에 앉아 있었다.

"지금쯤은 집에 돌아가도 좋다는 허가를 받았을 거로 생각했는데요." 해미시가 말했다.

"맞아요, 이틀 후에 떠날 거예요." 케네디 부인이 말했다. "며칠 더 있다가 가기로 마음을 정했거든요. 숙박비를 내는 것도 아니고, 신선한 공기가 뇌에 좋다고 해서요."

"이미 CID에 진술했겠지만, 부인은 무슨 일로 여기 온 건가요? 물론 토머스 부인이《글래스고 헤럴드》에 광고를 실었다는 사실은 나도 알고 있어요."

"내가 서덜랜드 관광청에 전화를 걸었었거든요." 케네디 부인이 말했다. "그랬더니 이 새로 생긴 민박집이 가격이 싸다고 안내해 주더라고요."

"남편분은 무슨 일을 하시나요, 케네디 부인?"

"난 남편 없어요." 그녀가 쾌활하게 대꾸했다.

"그렇다면 아이들 아빠는 무슨 일을 하나요?"

"어느 애 아빠를 말하는 건가요?" 그녀가 천박하게 웃었다. "다 기억할 수가 없거든요."

"애들 앞에서 그런 식으로 말씀하시면 안 되는 거 아닌가요." 해미시가 극도로 화가 나서 말했다.

"어이쿠, 그러신가요? 쓸데없이 남의 일에 상관 말고 어서 가던 길이나 가시죠, 샌님 양반." 케네디 부인이 약 올리듯이 말했다.

해미시는 보나 마나 글래스고 매춘부가 분명한 여자의 고결한 감정에 호소하려 애쓰며 헛되이 시간만 낭비한 자신을 저주하면서 그곳을 나왔다. 도시의 재건에도 불구하고, 글래스고에는 지금도 여전히 세계에서 가장 형편없는 매춘부들이 상주하고 있었다. 케네디 부인도 토요일 밤이면 자신의 육중한 몸을 코르셋에 욱여넣고 퉁퉁 부은 발은 하이힐 속에 구겨넣은 채 술집이란 술집은 모조리 훑고 돌아다닐 것이 분명했다. 그녀의 서비스를 돈 주고 살 만큼 고주망태로 취한 남자들을 찾아서 말이다.

그는 토넬 성으로 운전해 가서 해거티 부인의 집 열쇠를 받아 트릭시가 뭔가 가치 있는 것을 가져가지는 않았는지 확인해 보기로 했다. 성에 당도해 정문 앞에 차를 세웠을 때야 비로소 해미시는 자신의 관심이 온통 사건에만 쏠려 있어서 프리실라를 만날 기대조차도 하지 않고 있었다는 사실을 놀라우면서도 매우 당황스러운 심경으로 깨달았다.

그러나 할버턴스마이스 대령은 그 사실을 알지 못했다. 따라서 노골적으로 즐거운 표정을 지으며 프리실라는 파커 씨와 함께 경내 어딘가에 나가 있다고 말했다. 그리고 해거티 부인의 집 열쇠를 건네주었다.

해미시는 잠시 주저하다 물었다. "다시 한 번만 여쭙겠습니다. 토머스 부인을 어떤 사람이라고 생각하셨나요?"

"자네 상관에게 이미 내가 알고 있는 사실을 다 얘기했네." 대령이 딱 잘라 말하고는 돌아섰다.

해미시는 성 밖으로 나가 해거티 부인의 집으로 운전했다. 집은 방치되고 버려진 분위기를 물씬 풍겼다. 그는 문을 따고 안으로 들어갔다. 후미진 곳에 상자형 침대 하나가 덜렁 놓인 구식 부엌이 있고, 작고 어두운 복도를 따라가자 가구와 장식품이 가득 들어찬 거실과 화장실이 있었다. 욕실은 없었다. 골동품에 관해 아는 게 거의 없었음에도 해미시는 복잡한 거실에 남아 있는 것 가운데 가치 있는 물건은 하나도 없다는 사실을 알 수 있었다. 벽에는 암갈색 사진들이 걸렸고, 탁자 위에는 팔자 콧수염을 기른 남자들과 커다란 모자를 쓴 여자들 사진이 놓여 있었다. 해거티 부인은 아흔여덟의 나이에 세상을 떴는데, 그 당시 그녀에게는 살아 있는 친척이 아무도 없었다. 적어도 주변 사람들이 아는 한은 그랬다. 하지만 그렇다 하더라도 해거티 부인이 남긴 이런저런 물건을 물려받을 사람이 전혀 남아 있지 않다는 사실이 확실해질 때까지는 대령도 트릭시에게 해거티 부인의 물건을 집어 가도록 허락하지 말았어야 했다고 해미시는 생각했다. 사실 부인이 남긴 물건은 적지 않았다. 해거티 부인은 물건을 버리기 힘들어하는 사람이었음이 분명해 보였다. 찬장에는 오래전에 받은 크리스마스카드와 잡지, 조리법을 적어 놓은 메모와 잼 항아리와 병들이 꽉 차 있었다.

심지어는 파리잡이 끈끈이도 뭉치로 남아 있었는데, 색깔

은 갈색이었고 표면은 매끄러웠다. 그는 표면의 끈적거림이
세월이 흐르며 사라져 버린 것인지 궁금했다.

해미시는 밖에서 소리가 나는 것을 알아차리고 거실 문을
열었다. 프리실라가 안으로 걸어 들어왔다. 흰색 실크 블라우
스와 트위드 치마에 얇은 타이츠, 그리고 광이 나는 브로그 가
죽 구두를 신은 그녀는 시원하고 깔끔해 보였다. 평소와 마찬
가지로 프리실라의 금발 머리는 어깨 위로 자연스럽게 흘러
내려 있었고, 침착해 보이는 달걀형 얼굴은 침침한 거실에서
도 광채를 뿜어냈다.

"다행히도 파커 씨가 돌아갔어요. 좀 징그러운 사람이더라
고요. 능글맞기도 하고."

해미시는 흥미로운 시선으로 그녀를 바라봤다. "난 그 사람
이 지극히 평범하고 기분 좋은 사람이라고 생각했는데. 그 사
람하고 무슨 일 있었어요?"

"아, 완벽하게 정중한 사람인데, 너무 정중하다는 게 문제
더라고요. 내 말이 무슨 뜻인지 알 거예요. 나한테 계속 고맙
다고, 감사하다고 말하면서 자기 때문에 내가 쓸데없는 고생
을 하게 됐다고 계속 반복해 말하지 뭐예요. 나중에는 한 대
쥐어박거나 후려치고 싶더라고요. 파리처럼, 찰싹!"

"당신도 그의 책 속에 등장하는 강인하고 말수 없는 남자들
에 관해 읽어 봐야 해요." 해미시가 말했다. "채찍 같은 근육이

온몸에 칭칭 감겨 있고, 우락부락한 얼굴에는 다정다감한 미소가 서려 있다나 뭐라나."

"약한 남자들의 내면에는 늘 마초 같은 남자들이 한 명씩 숨어 있기 마련이에요. 그리고 그런 마초성은 종이 위에 글을 쓸 때만 튀어나오죠." 프리실라가 웃으며 말했다. "런던에 내가 아는 한 여자가 있는데, 그 여자는 로맨스 소설을 쓰거든요. 그런데 글 속에서 말고는 낭만적인 구석이라고는 티끌만큼도 없어요. 어머, 이 오래된 사진들 좀 봐요. 이 시절에는 여자들이 정말 화려한 모자를 썼네요."

프리실라는 낭만적인 생각이라는 걸 해 본 적이 있을까? 해미시는 그녀가 고개를 숙여 사진이 든 액자를 들어 올리는 모습을 가만히 바라보며 생각했다. 하지만 존 벌링턴이 주변에 있을 때면 그녀도 내면에서부터 빛을 발하지 않았던가.

"그 벌링턴이라는 친구에게서 소식은 왔어요?" 해미시가 물었다.

"네? 아, 그럼요, 꾸준히 편지도 쓰고 전화도 걸어 와요. 돈을 엄청나게 벌어들이고 있나 봐요."

"당신은 그런 게 좋고요?"

"난 성공한 사람들이나 성공에 관해 얘기하는 사람들을 존경해요. 그건 그렇고 사건은 어떻게 진행되고 있어요, 셜록?"

"아직 어둠 속을 더듬거리며 나아가는 중이에요." 해미시가 구슬프게 말했다.

"용의자로는," 프리실라가 불쑥 말했다. "우선 남편 폴이 있어요. 엄청난 슬픔에 잠긴 듯한 모습도 다 연기일 수 있다는 거죠."

"맞아요. 그다음에는 파커가 있죠. 독살을 선택하기에 딱 적합한 교활하고 약한 사람이에요. 또 누가 있을까요?"

"음, 가여운 브로디 선생도 있어요. 최근에 술을 엄청나게 마셔 댔거든요. 그리고 비참해 보였어요. 자기 부인이 외계에서 온 생물로 변해 버린 것처럼 느껴진다는 말도 하고 다녔대요."

"아치 매클레인이나 매클레인 부인도 있네요." 해미시가 말했다. "트릭시 토머스가 두 사람의 결혼 생활을 망쳐 버렸거든요."

"이언 건도 있네요."

"왜요? 그깟 박쥐 때문에요?"

"아니요, 이제 박쥐는 없어요. 당신도 하인을 둬야겠네요, 해미시. 아주 유용한 소문을 끝도 없이 들려주거든요. 이언 건 말로는 그 농가가 어젯밤에 갑자기 무너져 버렸대요."

"보나 마나 건이 직접 무너뜨렸을 거예요. 내가 기필코 그걸 밝혀내고 말 겁니다." 해미시가 말했다. "그렇지만 그깟 땅 덩어리 조금 더 갖겠다고 살인을 할 사람은 아니에요."

"어머 모르는 소리 말아요, 그러고도 남을 사람이에요. 아니면 내가 들은 말은 그냥 헛소문일지도 모르죠. 그가 땅이라면 사족을 못 쓴다고 하더라고요. 토지 욕심이 어떤 건지 당신도 잘 알잖아요."

"알아요, 그렇지만 난 건의 토지 욕심에 관한 소문은 그저 사람들의 질투심에서 비롯됐다고 생각했어요. 어쩌면 사람들 말이 맞을지도 모르죠. 어쨌든 우리가 생각지도 못했던 누군가가 범인이거나, 용의 선상에 올라 있는 사람 중에 하나가 범인이거나 둘 중 하나겠죠."

"케네디 부인의 배경에 관해서는 알아봤어요?"

"알아봤을 겁니다. 그리고 만약 무슨 문제가 있었다면 앤더슨이 이미 내게 얘기했을 테고요."

"그럼 앵거스 맥도널드 차례네요."

"그는 왜요?"

"이렇게 한번 생각해 보자고요." 프리실라가 앞으로 몸을 기울여 왔고, 해미시는 프랑스 향수 향기를 맡을 수 있었다. "그는 총선거에 관한 예측이 다 틀리는 바람에 체면을 완전히 구겼잖아요. 그래서 자기가 일부러 위스키에 독을 탔을지도 몰라요."

"그러기 위해 트릭시 토머스를 먼저 죽였다는 거예요? 참나, 이러지 말아요, 프리실라."

"그래요, 내가 너무 억지로 끼워 맞추려 했네요. 하지만 그가 일부러 위스키에 독을 탔을 가능성은 여전히 남아 있어요. 내 말은, 당신도 천리안 같은 거 안 믿잖아요, 그렇죠?"

"아니, 믿어요. 많지는 않겠지만, 그래도 어떤 사람들은 일생에 한 번 정도 뭔가에 관해 잠시 뛰어난 통찰력을 얻는 순간을 맞이하기도 한다고 생각해요. 물론 증명하기는 힘들겠죠. 하지만 많은 사람이 어떤 재난이나 죽음을 맞이하기 전에 그럴 것 같은 예감이 들었다고 말하기도 하잖아요."

"지금 어디 가는 거예요?" 해미시가 문 쪽으로 걸어가자 프리실라가 놀라서 물었다.

"데드오 쥐약 통 찾으러 계속 돌아다녀야 하거든요. 당신도 집에 가서 가정부에게 혹시 데드오를 구매한 적이 있는지 물어봐 줄래요? 그리고 이 집 열쇠 여기 있어요."

그가 손을 들어 작별 인사를 하고 밖으로 걸어 나갔다. 프리실라는 창문 쪽으로 다가가서 그가 떠나는 모습을 바라봤다. 어쩐지 슬픈 기분이 들었다. 그녀와 함께 있을 때면 늘 드러내 보여 주던 예전의 그 간절함이 더는 그에게서 느껴지지 않는 탓이었다.

해미시는 마을로 돌아가 브로디 부부의 집 앞에 차를 세웠다.

앤절라는 부엌 식탁에 앉아 뭔가를 읽고 있었다. 해미시는 그녀가 예전의 앤절라로 돌아갔다는 생각에 마음이 가벼워졌다. 그러나 곧 그는 그녀가 채식 라사냐 조리법을 읽고 있다는 사실을 알아차렸다.

"혹시 1년 전쯤에 데드오라는 쥐약을 구매하신 적이 있는 지 알고 싶어서 찾아왔습니다." 해미시가 말했다.

"아니요, 우리 집에는 쥐가 없어요. 잠깐, 생쥐는 있었어요. 그래서 쥐약을 사기는 했죠."

"아직도 가지고 있나요?"

"정원 헛간으로 가 보죠. 함께 찾아봐요."

그는 그녀를 따라 정원으로 나갔다. 헛간도 반짝반짝 윤이 나게 청소돼 있었다. 문 위쪽 선반에 놓인 모든 살충제 깡통이 빛을 발하고 있었고, 괭이, 호미 삽 등도 역시 광이 났다.

"난 여기 들어오면 아주 뿌듯해요." 앤절라가 말했다. "바로 며칠 전에 말끔하게 청소를 했거든요."

해미시는 손수건을 꺼내서 데드오 통을 조심스럽게 집어 들었다. 뚜껑을 비틀어 열었다. 내용물은 반쯤 비어 있었다.

"많이 사용하셨네요."

"난 생쥐라면 질색이에요. 징그러워요. 물론 그때는 뭐든 되는 대로 건성건성 했죠. 사용법 같은 것도 읽지 않고, 그 냥 쥐가 나오는 장소에 접시를 가져다 놓고 대충 쥐약을 쏟아 놨거든요. 그래서 생쥐가 없어졌을 거예요. 뭐 더 필요한 거 있으세요? 내가 좀 바빠서요."

"장례식에 참석하러 가시나 보군요." 해미시가 말했다.

"예, 물론…… 가야죠."

해미시는 모자에 손을 올려 인사를 했다. "거기서 뵙죠."

모두가 트릭시 토머스의 장례식에 나타났다. 심지어 케네디 부인과 그녀의 아이들 모습도 보였다. 웰링턴 목사가 장례식을 집도하는 동안 교회는 여자들의 울음소리로 시끄러웠고, 조문객들이 관을 따라 나가는 동안 울음소리는 더욱 커졌다. 트릭시의 관은 교회 위쪽 언덕에 있는 교회 묘지로 옮겨졌다.

폴 토머스는 두 명의 마을 남자에게 부축을 받고 있었고, 당장에라도 쓰러질 것처럼 보였다. 브로디 선생은 해미시 옆에 서 있었다. "아무래도 장례식이 끝나는 대로 토머스 씨에게 안정제를 처방해 주고 침대에 눕게 해야겠어." 그가 말했다.

"부인도 살피셔야 할 것 같아요." 해미시가 말했다. "상태가 많이 안 좋아 보이네요."

의사의 얼굴이 딱딱하게 굳었다. "어리석은 여편네." 그가 잔인하게 말했고, 해미시는 의사의 말이 트릭시 토머스를 의미하는지, 자기 아내를 의미한 건지 갈피를 잡을 수 없었다.

묘지 예배를 마친 후 마을 사람들은 웰링턴 부인이 요리를 준비해 둔 로럴 민박으로 향했다. 모두에게 위스키 잔이 돌아갔고, 시간이 흐를수록 점차 분위기가 밝아지기 시작했다. 한 사람이 농담하면 누군가가 그것을 받았고, 곧 모임은 파티처럼 변해 갔다.

마을 남자들은 트릭시 토머스가 매장되었다는 사실이 기뻤다. 해미시는 이언 건을 발견하고 그의 곁으로 다가갔다. "여기서 보게 되다니 놀랍습니다."

"난 장례식에는 늘 찾아가네." 이언이 탁자 위에 줄지어 따라 놓은 위스키 잔 하나를 들어 올리며 말했다.

"그 낡은 농가가 신기하게도 무너져 내렸다면서요."

"그러게, 천우신조 아니겠나. 이젠 그 조류 보호 협회 사람들과 문제 생길 일은 없어졌어."

"대신 나와 문제가 생긴 것 같네요." 해미시가 말했다. "내가 그 건물을 조사해서 당신이 그걸 무너뜨리기 위해 뭔가 불법적인 조처를 하지 않았는지 확실히 해 둬야만 하거든요."

"박쥐 몇 마리 때문에 쓸데없이 불쌍한 농부나 괴롭히는 것보다는 살인 사건이나 어서 해결하는 게 더 낫지 않겠어?" 그가 조롱하듯이 말했다. "그렇지만 어쨌든 조사를 해 봐도 아무것도 발견 못 할 거야. 내 그건 장담하지."

"아주 일 처리를 깔끔하게 했나 보네요, 그런가요?" 해미시가 냉소적으로 말했다.

블레어가 투실투실한 손에 유리잔 하나를 들고 다가왔다. "이봐, 순경." 그가 을러대기 시작했다. "쥐약 깡통은 다 찾아낸 거야?"

"아니요, 아직 찾는 중입니다."

"술잔 밑바닥에서? 당장 나가서 찾아보라고."

해미시가 자리를 뜨는 동안 이언 건이 기분 나쁘게 키득거
렸다.

해미시는 로럴 민박을 빙 돌아서 뒷문 쪽으로 걸어갔다. 케
네디 부인의 아이 중에 수전이라는 소녀가 커다란 케이크 조
각을 먹고 있었다.

"이 썩겠다." 해미시가 말했다.

"꺼져요." 아이가 입안 가득 케이크를 물고 우물거리며 대
꾸했다. 그가 문으로 향하자 아이가 말했다. "나 사탕 사 먹게
돈 좀 줘요."

"싫어." 해미시가 말했다. "너한테는 한 푼도 못 줘. 토머스
부인이 너희에게도 채식 식단을 먹게 했니?"

"아니요, 자기 남편한테만요. 그 쓰레기 같은 음식이 자기
네 집에 묵고 있는 손님들을 쫓아낼지도 모를 위험은 감수할
수 없었을 거라고 엄마가 그랬어요. 글쎄, 그 아줌마가 남들한
테는 설탕이 얼마나 나쁜지 잔소리를 그렇게 해 대면서, 자기
는 다른 사람이 안 볼 때면 내내 케이크를 입에 달고 살았어
요." 아이의 뾰족한 얼굴에 야비하고 만족스러운 표정이 떠올
랐다. "그 아줌마랑 아줌마 남편이랑 자기 침실에 뭘 감춰 두

고 있었는지 알고 싶지 않아요?"

"아니, 관심 없어." 해미시가 단호하게 말하고는 문을 통과해 들어가 안채로 연결되는 부엌으로 갔다. 그리고 장례 연회가 열리고 있는 거실 끄트머리에 서서 블레어가 떠나는 모습을 지켜봤다. 그는 잠시 기다렸다가 다시 거실로 들어가서 큰 소리로 조용히 해 달라고 외쳤다. 모두가 그를 돌아봤다. 해미시는 그제야 프리실라도 와 있다는 사실을 알아차렸다. 당연히 그녀도 참석해야 하지 않겠는가. 예상할 수 있는 일이었다. 프리실라는 검은 드레스에 자그마한 검은 모자를 쓰고 있었다.

"저는 지금 데드오라는 상품 통을 찾고 있습니다." 해미시가 말했다. "파텔 씨 가게에서 1년 전에 팔았던 거예요. 쥐약이고요. 혹시 그걸 구매했던 분이 있으면 가능한 한 빨리 경찰서로 가져다주시기 바랍니다."

웰링턴 부인이 성난 표정으로 자리에서 일어섰다. "아니, 어떻게 장례식장에서 그런 무례한 발표를 하고 그러죠? 토머스 씨가 자리에 누우러 간 게 얼마나 다행인지 모르겠네요."

"저는 그 쥐약 통을 찾아야만 해요." 해미시가 참을성 있게 말했다. "지금 여기에 로흐두 주민 대부분이 참석해 있잖아요. 그러니 집집이 돌아다니는 것보다 시간을 많이 절약할 수 있을 것 같아 그럽니다."

저녁나절, 해미시는 그 결과에 만족했다. 그의 앞에는 열다섯 개의 쥐약 깡통이 놓여 있었다. 한 해 동안 팔린 스물네 개 중 열다섯 개면 그리 나쁜 성적이 아니었다. 그는 쥐약을 가져온 사람의 이름을 각각의 깡통에 깔끔하게 적어 붙여 분류해 놓았다.

브로디 선생은 부엌 문간에 서서 처음에는 아내를, 그다음에는 식탁에 차려진 저녁 식사를 훑어봤다. 산양유 치즈가 들어간 샐러드였다. 그는 이미 여러 번 그런 음식은 먹을 수 없다고 선언했다. 그러나 아내는 이제 더는 기름진 스테이크와 감자 튀김을 먹게 해서 남편을 죽음으로 몰아가는 일은 하지 않겠다고 말했다. 아내의 태도는 부싯돌만큼이나 단단했다.

그는 자신이 아내 앤절라가 아니라 집에 침입한 낯선 생물에 대고 말을 하는 것 같은 기분이었다.

"우리 이혼합시다." 그가 말했다.

앤절라는 깜짝 놀란 눈치였다. "어리석게 굴지 말아요. 이게 다 당신을 위해서라는 거 모르겠어요? 건강한 음식과 깨끗한 집, 술은 와인이든 독주든 다 금지, 이게 누굴 위해서겠어요?"

"당신이 이러는 건 당신의 친구였던 트릭시처럼 당신도 야비한 독재자가 되어 가고 있기 때문이에요. 난 누군가 트릭시를 독살했다는 사실이 기쁘기 그지없어요. 부디 그 여자가 고통스럽게 죽었기를 바라요. 내가 스트래스베인에 있는 폴릿

변호사에게 이미 전화 걸어서 이혼 서류를 준비해 달라고 부탁해 놨어요."

앤절라의 얼굴이 백지장처럼 하얗게 변했다. "무슨 사유로요?"

"결혼 생활을 파탄 낸 책임. 아, 다행히도 호텔은 다시 예전의 요리로 돌아갔더군요. 잘 자요."

브로디 선생은 호텔로 걸어갔다. 아무 느낌도 없었다. 그는 아내가 얼마 전에 사망했다고 생각했다. 지금 그가 이혼하려고 하는 대상은 바로 그 아내의 자리를 차지하고 있는 괴물일 뿐이었다. 트릭시라는 여자가 땅속 2미터 아래 파묻혀 있다는 생각을 하자 왠지 마음이 가벼워지는 기분이었다. "거기서 유기농 데이지나 많이 피워 올리시오." 이렇게 말하고 그는 웃기 시작했다.

"뭐가 그리 재밌으십니까?" 해미시 맥베스 순경이 물었다. 그도 역시 달걀 상자를 옆구리에 끼고 호텔로 향하는 중이었다.

"나와 함께 축하주나 한잔하세." 의사가 말했다. "좀 전에 스트래스베인으로 전화를 걸어 변호사에게 이혼 서류를 준비해 달라고 부탁했네."

제7장

물새라고도 불리는 민물가마우지는
종이 가방 안에 알을 낳는다,
의심의 여지 없이, 그렇게 하는 이유는
번개를 피할 수 있기 때문이다.
그러나 이 부주의한 새들이
전혀 알아차리지 못하는 사실은
무리 지어 돌아다니는 곰들이
다람쥐와 함께 찾아와서 부스러기를 먹으려고
가방을 훔쳐 간다는 것이다.
작자 미상

"저기요," 해미시가 어색하게 말을 꺼냈다. "요즘 많이 힘든 시간을 보내고 계시다는 거 잘 압니다. 그렇지만 조금만 기다려 보면 안 될까요?"

"안 되네." 의사가 말했다. "이미 마음을 정했어."

"부인께 너무 냉정하게 구시는 거 아니에요? 아내분이 갱년기 증세로 힘들어하고 있을지도 모른다는 생각은 안 해 보셨어요? 그 시기에 여자들은 좀 이상해지고 그렇잖아요."

브로디 선생이 코웃음을 쳤다. "말도 안 되는 소리 말게. 뭐든 다 마음먹기 달린 거라네. 여자들은 갱년기가 되면 이상해

진다는 얘기를 늘 들어 와서 그걸 변명거리로 이용하는 거야."

"글쎄요, 선생님이 의사시니 저보다 잘 아시겠죠. 그렇지만
요즘 신문마다 그에 관해 엄청나게 많은 기사가 실리잖아요.
그리고 최신 연구를 충실히 따라가지 못하는 게으른 국립 보
건원 의사들에 관한 기사도 차고 넘치죠. 나도 토머스 부인이
끔찍한 여자였다는 데는 동의해요. 그렇지만 문제는 그녀가
했던 말이 거의 다 사실이라는 겁니다. 선생님도 흡연이 사람
들에게 나쁘고, 콜레스테롤이 과하게 든 음식도 사람들에게
해가 되고……"

"난 평생 하루도 아파 본 적이 없네." 의사가 딱 잘라 말했
다. "내가 도저히 견딜 수 없는 건 아내가 날 마치 어린애처럼
다룬다는 사실이야. 녹색 채소를 먹어야 한다고? 참 나! 무조
건 닦달한다고 갑자기 채식주의자가 되는 게 아니라고. 어린
애도 고기 양을 조금씩 조금씩 줄이면서, 샐러드 양은 점점 크
게 늘려 가서 마침내는 샐러드 위에 장난처럼 견과류 커틀릿
을 한두 개씩 뿌려 놓는 정도가 될 때까지 시간을 두고 식성을
바꿔 가게 해 줘야 하는 거라고. 앤절라는 심지어 내게 민들레
커피라는 걸 마시라고 줬지만, 난 그걸 호수에 쏟아부어 버렸
네. 내 인생에 쓸데없이 끼어들지 말게. 난 이미 마음을 정했
고, 그걸로 끝이니까."

바 위쪽에 설치된 텔레비전 화면이 깜빡거리며 켜졌다. 앵

거스 맥도널드의 얼굴이 화면에 나타났다. 그가 자신이 보았던 환상을 한껏 윤색해서 들려주기 시작했다.

"난 저들이 앵거스의 말에 신경 쓰지 않을 거라고 생각해요. 선거 결과를 엉망으로 예측했던 전적이 있잖아요." 해미시가 말했다.

"매우 좋은 기삿거리잖아." 브로디 선생이 말했다. "저 사람들 오늘 내내 호텔에 있다가 앵거스의 집으로 올라갔어. 저 친구 앞으로 한 달 동안은 취해 있을 거야."

앵거스의 모습이 사라지고, 그 자리에 웰링턴 부인의 강인한 모습이 나타났다. "토머스 부인은 현모양처의 모범이었어요. 그녀가 마을에 새로운 활력을 불러왔죠. 이 마을 사람치고 그녀가 잘못되길 바란 사람은 없어요. 그러니 분명히 외부에서 온 어떤 미치광이 짓일 거예요."

"나와 저녁 식사나 함께하세." 브로디 선생이 자신의 술잔을 비우며 제안했다.

해미시가 고개를 저었다. "아내분을 이리로 모셔 와서 함께 식사하시는 건 어때요? 왜 종종 그러셨잖아요. 함께 앉아서 이혼에 관해 점잖게 상의해 보면 좋지 않을까요?"

브로디 선생이 한숨을 쉬었다. "그래, 자네 말이 옳을지도 모르겠네. 생각해 보지."

해미시는 바 주위를 둘러봤다. 소작농 버트 후크가 꽤 술이

오른 듯한 모습이었다. 해미시는 그의 곁으로 다가가서 차 열쇠를 낚아채고는 아침에 경찰서로 와서 찾아가라고 말했다.

그는 밖으로 나가서 해안가를 따라 걸으며 부디 살인자가 누구인지 밝혀져서 마을이 다시 예전의 평범하고 조용한 곳으로 돌아가길 진심으로 기원했다. 그는 나름의 방식으로 자신의 평화롭고 무탈한 삶을 사랑했다. 그건, 말하자면, 프리실라가 전혀 이해할 수 없는 그런 방식이었다. 사실 시대 자체가 야망 없는 남자를 이해해 줄 수 있는 사람이 살아갈 만한 시대는 아니지 않은가. 밤은 고요하고 평온했으며, 보름달이 구름 사이로 떠가고 있었다.

"해미시?"

해미시는 걸음을 멈추고 앞에 서 있는 남자를 바라봤다. 그는 걸어오는 내내 생각에 골몰해 있느라 누군가 다가오는 것도 알아차리지 못한 참이었다. 앞에 선 남자는 작고 말쑥했으며, 고급스러운 트위드 재킷에 플란넬 셔츠를 입고 넥타이를 매고 있었다. 깔끔하고 영리한 인상이었고, 머리숱은 적었다.

"안녕하세요." 해미시가 살피듯이 말했다.

"나 모르겠나?"

해미시가 천천히 고개를 저었다.

"나야, 해리. 해리 드러먼드!"

"말도 안 돼!" 해미시는 항구의 불빛이 그의 얼굴을 비추도록 옆으로 돌아가서 바라봤다. "해리 드러먼드." 놀랄 일이었다. 해리는 알코올중독 치료를 받기 위해 인버네스로 떠나기 전까지 마을의 소문난 술꾼이었다. 해미시가 마지막으로 보았을 때 그는 온몸이 퉁퉁 부은 채 악취를 풀풀 풍기는 털 많은 누더기 꾸러미 같았다.

"사람이 이렇게 변할 수도 있는 건가." 해미시가 말했다. "다시 돌아온 거야?"

"아니, 인버네스에서 벽돌공 일을 해서 꽤 잘 벌고 있어."

"그럼 아내도 그리로 데려가서 함께 살면 되겠군?"

"아니, 해미시. 실은 아내가 이혼을 원해."

해미시는 놀란 눈으로 그를 바라봤다. 술주정뱅이 남편에 대한 필리스 드러먼드의 헌신은 마을에 소문이 자자할 만큼 대단했다. 해리는 종종 아내에게 폭력까지 행사했지만, 그녀는 말 한 마디 없이 그것을 견뎌 냈고, 가족을 부양하기 위해 청소 일을 다니면서도 좋을 때나 힘들 때나 한결같이 남편의 곁을 지켰다.

"대체 왜?" 해미시가 물었다. "이러다가 로흐두 부부 전체가 다 이혼하는 거 아니야? 이봐, 자네가 이렇게 말쑥하게 변해서 좋은 직업까지 얻었으니 아내가 좋아하고도 남을 일이 아니냐고."

"아니, 아내는 갑자기 나를 참을 수가 없다고, 술주정뱅이 시절의 내가 훨씬 낫다고 말하고 있어. 여자들이란! 어떻게든 아내의 마음을 돌려 보려고 왔는데, 아내는 내 말을 들으려고 하지도 않아."

그들이 돌아섰을 때, 브로디 선생이 달려오고 있었다. "그녀가 사라졌네." 그가 헐떡이며 말했다. "앤절라가 어딘가로 없어졌다고."

"아마 모임이 있어서 예배당에 가셨을지도 몰라요." 해미시가 그를 진정시키며 말했다.

"아니, 내가 사라졌다고 말하지 않았나. 부엌을 엉망으로 부숴 버리고 어디론가 떠나 버렸네."

"제가 지원 인력을 요청해서 아내분을 찾아볼게요. 해리, 돌아가서 마을 남자들을 다 모아 주게."

해미시는 경찰서로 돌아가 스트래스베인으로 전화를 걸었다. 그러고는 타우저를 데리고 자신의 랜드로버에 올라타서 차를 출발시켰다. 구름이 달을 가리고 있어서 밤은 칠흑같이 어두웠다. 대체 어디 가서 그녀를 찾는단 말인가? 호수? 사냥터? 바다?

그는 스트래스베인에서 지원 인력이 도착한 후에도 포기하지 않고 밤새 수색을 다녔다. 경찰들은 호숫가를 이 잡듯이 뒤지고, 마을 사람들과 연합해서 넓게 퍼져 사냥터를 훑어 내려갔다. 그동안 하늘에서는 경찰 헬리콥터가 돌아다녔다. 다음 날 아침 공기는 여전히 무겁고 축축했지만, 그래도 햇살은 맑게 비추었다. 하지만 뜨거운 태양 빛은 곧 악천후가 시작되리라는 전조나 다름없었다.

그는 마침내 랜드로버를 멈추고 차량 앞 유리 밖을 침울하게 바라봤다. 만약 앤절라 브로디가 자살을 하려 마음먹었다면 그녀는 어디로 향했을까? 또는 그저 마음이 너무 괴로워서 단지 남편과 좀 떨어져 있을 작정이었다면, 어디로 향했을까? 그는 로흐두 위로 높이 얽혀 치솟아 있는 거대한 두 자매 산의 봉우리를 올려다봤다. 그리고 깊이 잠든 타우저를 차 안에 남겨 두고 산으로 올라가기 시작했다.

벌들이 헤더 관목 사이를 윙윙거리며 날아다녔고, 파리 떼는 나른한 공기 속을 춤추듯이 움직여 다녔다. 그는 헤더 관목과 고사리 사이를 헤치고 계속 올라갔다. 가던 중에 스웨터를 벗어 바위에 펼쳐 놓고 모자를 벗어 그 위에 올려놓았다. 그리고 푸른색 셔츠 소매를 말아 올린 후 다시 출발했다. 언젠가 프리실라 때문에 몹시도 기분이 상했을 때(얼마 안 된 일 같은데 어쩌면 이렇게 멀고 오래된 일처럼 느껴질까!), 그는 마을 위로 높이 솟은 산을 타고 올라가 커다란 바위에 자리 잡고 앉아서 비참한 기분을 홀로 달랬던 일이 있었다. 그는 지금 앤절라 브로디도 그와 같은 방식을 택했을지 모른다는 아주 실낱같은 희망에 매달려 산을 오르고 있었다. 길은 가팔랐고, 따

듯한 공기 탓에 땀이 비 오듯이 흘러내렸다. 얼굴에 발랐던 해충 기피제가 흐르는 땀에 씻겨 내려가 각다귀가 얼굴로 달려들었다. 그는 전에 앉아 있었던 그 넓은 바위를 기억에 떠올리며 한 시간 동안이나 고생 고생 해서 산을 올랐다. 마침내 바위 앞에 도착했지만, 그곳에는 아무도 없었다. 해미시는 날카로운 실망감을 느꼈다. 그는 수염이 덥수룩한 얼굴로 완전히 지쳐 바위에 걸터앉았다. 아래쪽으로는 사냥터를 수색해 다니는 경찰대원들의 모습이 자그마하게 보였다. 그리고 잠시 후 항구로 밴 한 대가 들어가더니 잠수부들이 차에서 내렸다. 그는 너무 피곤했다. 머리는 어질어질했고, 그냥 누워서 잠이 들어 버렸으면 좋겠다는 생각만 들었다. 하지만 산속이나 황무지, 혹은 호수 어딘가에 앤절라 브로디가 있을 터였다.

바로 그때, 그는 눈을 가늘게 떴다. 작은 형체 하나가 멀리 아래쪽에 있는 넓은 바위를 내려가려 애쓰는 모습이 보였다. 그는 두 발로 벌떡 일어나서 바위에서 펄쩍 뛰어내려 달리기 시작했다. 하지만 곧 발을 헛디뎌 미끄러졌고, 그는 굴러떨어지지 않으려고 헤더 뿌리 부분을 움켜잡았다. 마침내 그는 미끄러지기를 멈추고 몸을 일으킨 다음 숨을 헐떡이며 급하게 사방을 둘러봤다. 아까의 형체가 여전히 그의 아래쪽에서 마치 술 취한 사람처럼 이리저리 휘청거리며 걷고 있었다.

그의 긴 다리가 도망가는 그 작은 형체 쪽으로 그를 데리고 갔고, 마침내 해미시는 그 형체가 앤절라 브로디라는 사실을 확인하고 진심으로 반가움을 느꼈다. 마지막으로 걸음에 박차를 가해 그는 앤절라 브로디 쪽으로 달려가서 몸을 위로 날려 그녀를 헤더 관목 속으로 쓰러뜨렸다.

그는 일어나 앉아 그녀의 몸을 뒤집었다. 앤절라의 얼굴은 울어서 퉁퉁 부어 있었다.

"함께 내려가시죠." 그가 말했다. "몰골이 말이 아닙니다."

"난 돌아갈 수 없어요." 그녀가 쓸쓸하게 말했다.

"아니요, 우리 모두 언젠가는 다 집에 돌아가야 합니다. 자, 어서요. 내 차에 브랜디가 좀 있어요."

그는 앤절라가 일어설 수 있게 도와주었다. 그녀는 해미시에게서 몸을 빼내려 버둥대다가 맥없이 그의 발치로 쓰러졌다. 그는 두 팔로 앤절라를 안아 들고 랜드로버를 세워 놓은 곳으로 내려가서 차 그림자 속에 그녀를 눕혔다. 그리고 글러브 박스에서 브랜디를 꺼내 실신해 있는 앤절라의 입에 부어 주었다. 그녀가 푸푸 소리와 함께 술을 내뱉으며 정신을 차렸다.

"됐네요." 해미시가 말했다. "자, 이제 곧 집에 도착할 겁니다."

"나 정말로 집에 가고 싶지 않아요." 앤절라의 양 볼로 눈물이 흘러내렸다. 해미시는 손수건을 꺼내 눈물을 닦아 주었다. 그리고 앤절라를 양팔로 안고 머리를 쓰다듬어 주었다. "자자, 이 해미시에게 다 털어놔 보세요."

"존이 이혼하겠대요."

"예, 그렇게 말하더군요. 남자들은 가끔 화가 나면 그런 말을 하기도 하지만 늘 진심인 건 아닙니다."

"그렇지만 그는 진심이에요. 존은 괜히 빈말 같은 거 하는 사람이 아니에요."

"전에는 그랬을지도 모르죠. 하지만 이번에는 남편분이 화를 낼 만한 이유를 부인이 다 제공했잖아요. 그는 부인과 이혼하려는 게 아니라 트릭시와 헤어지려는 겁니다. 지금 그는 자기 아내가 아닌 트릭시와 사는 거나 다름없거든요. 심지어 부인은 외모도 그 여자처럼 꾸미고 다니려 애쓰잖아요."

날씨가 더웠음에도 그녀는 떨고 있었다. "뭘 어떻게 해야 할지도 모르겠고, 모든 게 너무 공허해요." 그녀가 흐느끼며 말했다.

"그건 좋은 징조 같은데요. 집착이나 강박이 떠난 자리에는 원래 공허함이 남는 법이거든요." 해미시가 프리실라를 떠올리며 말했다.

"내 눈에 트릭시는 모든 해답을 알고 있는 사람처럼 보였어요." 앤절라가 구슬프게 말했다. "난 지난 몇 년 동안 내가 아무 쓸모도 없는 사람인 듯 느끼며 살았어요. 글래스고나 에든버러나 인버네스 같은 곳에 가면 늘 사람들이 직업이 뭐냐고 물어봤거든요. 그럼 난 가정주부라고 얘기했어요. 그럼 사람들이 '그게 다예요?'라고 물었죠. 그런데 트릭시는 가정주부 일이 아주 고결한 직업이라고, 제대로 하기만 하면 대단히 큰 만족을 느낄 수 있다고 얘기했죠. 나는 그 모든 일과 위원회 같은 데 완전히 매료됐어요. 꼭 술에 취한 기분이었다니까요. 그녀는 늘 칭찬을 해 줬는데 지금까지 아무도 내게 그렇게 해 준 사람이 없었거든요. 트릭시는 존이 담배와 싸구려 와인과 기름진 음식으로 자기 자신을 죽음으로 몰아가고 있다고 말 했어요. 그런데 난…… 난 그이를 사랑해요."

"하지만 남편분은 예전의 부인 방식을 훨씬 더 행복하게 여기는 것 같아요." 해미시가 계속 부드럽게 그녀의 머리를 어루만져 주며 말했다. "자, 나와 함께 집으로 돌아가는 겁니다."

그녀가 몸을 비틀어 빼냈다. "그럴 수 없어요."

해미시는 생각에 잠겨 그녀를 바라봤다. 앤절라 브로디에게는 빌려 쓴 남의 정체성을 갑작스럽게 잃어버리게 된다는 두려움 이상의 무언가가 있는 듯했다.

"남편이 트릭시를 죽였다고 생각하는군요." 그가 아무런 감정도 담지 않은 평범한 어조로 말했다.

그녀의 몸이 굳었다.

"봐요, 실은 나도 그 여자를 죽이고 싶었어요." 해미시가 말했다. "그렇지만 내가 죽인 게 아니라고요."

"하지만 남자는 자기가 사랑하는 대상을 죽이죠." 앤절라가 쓸쓸히 오스카 와일드의 시구를 인용했다.

해미시는 조용히 그녀를 바라봤다. "지금 정말 상태가 안 좋은 것 같네요. 어서 집으로 가서 누우셔야겠어요."

"그렇지만 오늘 밤에 조류 보호 협회 모임이 있어요. 앤스티 공작의 아들 글렌베이더 경이 성에 가지고 있는 소장품 중에서 조류 표본을 몇 개 가져오기로 했어요!"

"거긴 내가 대신 참석할게요."

해미시는 일어나서 손가락을 튕겨 타우저가 뒷자리로 옮겨 가게 했다. 그는 앤절라가 랜드로버에 타는 것을 도왔다. 그리고 다시 산비탈을 달려 올라가 스웨터와 모자를 가지고 돌아왔다. 이제 하늘에는 구름이 덮여 있었고, 바람도 제법 차가웠다. 그는 랜드로버 뒤에서 조명탄을 꺼내 하늘에 대고 쏘아 올렸다. 그리고 쏘아 올린 녹색 별이 흘러가는 구름을 배경으로 하늘에 떠서 아래쪽에 있는 수색자들에게 앤절라 브로디를 찾았다는 사실을 알려 주는 동안 잠시 그것을 바라보고 서 있었다.

웰링턴 부인과 마을 아낙네 두 명이 브로디 선생의 집에 도착해서 엉망으로 부서진 부엌을 조용히 치우기 시작했다. 그릇과 깨진 유리 조각을 쓸어 모으고, 마구 흩어져 있는 밀가루와 커피 가루를 걸레로 닦아 냈으며, 깨진 잼 항아리를 바닥에서 주웠다.

해미시는 그들을 도와 깨진 유리와 도자기를 종이 상자에 담아 끈으로 단단히 묶은 후 차에 싣고 마을 쓰레기장에 가져다 버렸다. 그가 돌아와 보니 웰링턴 부인이 상자에서 머그잔들을 꺼내 고리에 걸고 있었다. "가여운 브로디 부인이 물 마실 컵 하나도 남겨 두지 않았지 뭐예요." 그녀가 말했다. "이건 내가 교회 장터에서 사 뒀던 거예요. 주전자 좀 올려 주실래요, 맥베스 씨? 차나 한잔 마십시다."

"브로디 부인이 부엌만 이렇게 만들어 놓은 겁니까?" 해미시가 물었다. 그러고는 찬장을 열어 동물 가족을 먹이기 위해 고양이 사료와 개 사료 깡통을 꺼냈다.

"아니요, 이리 와서 거실 좀 들여다봐요."

해미시는 깡통 따개를 내려놓고 그녀를 따라 거실로 나갔다. 벽난로 위쪽 거울이 박살 나 있었다.

"자기 자신의 모습을 참고 바라볼 수가 없었나 봐요." 그가 구슬프게 말했다.

"쓸데없는 소리 말아요." 심리학 같은 데 낭비할 시간 따윈 전혀 없는 목사의 아내가 말했다. "그냥 술에 취해 있었을 거예요."

그들은 부엌으로 돌아왔다. 해미시는 스패니얼 두 마리와 고양이에게 먹이를 주고는 주전자를 얹어 놓았다. 브로디 선생이 침실에서 아래층으로 내려왔다.

"부인은 어떠세요?" 해미시가 물었다.

"잠들었네." 의사가 지친 기색으로 말했다. "이 비참한 생활이 언젠가 끝나기는 할까?"

"깨어나면 다정하게 대해 주세요." 해미시가 걱정스러운 듯이 말했다. "그때도 여전히 기분이 많이 안 좋아 보이면 스트래스베인으로 데리고 가서 상담 같은 걸 받아 보게 하시는 게 좋을지도 몰라요."

"난 그런 쓰레기 같은 거 안 믿네. 정신 똑바로 차리고 열심히 살아가는 사람이라면 그런 괴짜 정신과 의사 같은 인간들을 만날 시간이 어디 있겠나."

"한 마을을 책임지고 있는 의사치고, 선생님은 걸어 다니는 재난이나 다름없어요." 해미시가 뿌루퉁하게 말했다. "생전 잔병치레 없는 체질이라는 게 이렇게 기쁠 수가 없네요. 저 같은 사람에게는 뭘 처방하시겠어요? 도롱뇽의 눈*?"

"의사 선생님 괴롭히지 말아요." 웰링턴 부인이 단호하게 말했다. "안쓰럽지도 않아요?"

해미시는 두 사람 문제는 두 사람이 알아서 하도록 내버려두자는 심정으로 밖으로 나갔다. 그는 경찰서로 향했다. 당장

* 윌리엄 셰익스피어의 희곡 『맥베스』에서 마녀들이 마법의 약물을 만들 때 넣는 재료의 하나이다.

에라도 졸려서 쓰러질 것만 같은 기분이었다. 그때 기자들이 경찰서 밖에 몰려서서 블레어를 인터뷰하는 모습이 눈에 들어왔다. 낮게 욕설을 내뱉으며 그는 그 앞을 그대로 운전해 지나갔다.

블레어가 그를 알아보고는 뭔가 고함을 질러 댔지만, 해미시는 거기 신경 쓸 만한 기력이 없었다. 그는 토멜 성으로 운전해 갔다. 막 정문 앞에 도착했을 때, 사냥터 관리인 한 명이 눈에 띄었다. 해미시는 차를 멈춘 후 창문을 내렸다. "대령님 안에 계신가요?"

"아니요, 부부 동반으로 인버네스에 가셨어요."

"잘됐네요." 그는 이렇게 말하고 성문을 통과해 운전해 들어갔다.

이전 같았으면 젱킨스는 기꺼이 프리실라가 집에 없다고 거짓말을 했을 테지만, 주인댁 따님이 해미시를 상대로 다시 한 번 그런 조롱 조의 거짓말을 했다가는 각오하라고 언질을 주었기에 차마 그럴 수가 없었다. 프리실라는 층계를 달려 내려와서 해미시 앞에 멈춰 섰다. "꼴이 이게 뭐예요. 무슨 일 있었어요?"

"내가 아니라 앤절라 브로디에게요." 해미시가 하품을 눌러 참으며 말했다. "그 부인이 무너져 내렸어요. 그렇지만 지금은 집에 돌아와서 누워 있어요."

"어머, 찾았군요. 나도 그녀가 사라졌다는 얘기는 들었어요. 상태는 어때요?"

"겉으로만 봐서는 괜찮아요. 나중에 일어나면 마음도 괜찮아졌으면 하는 게 내 바람이에요. 그건 그렇고 내가 잠을 좀 자야 해서요, 프리실라. 블레어가 경찰서에 있어서 이리 왔어요. 한 시간만 침대 좀 내줄 수 있겠어요?"

"그럼요. 손님용 객실로 데려다줄게요. 타우저는 어디 있어요?"

"내 차에요."

"여기서 기다려요. 내가 데려올게요."

곧 타우저가 프리실라를 따라 느릿느릿 걸어 들어왔다. 프리실라가 타우저와 그 주인을 데리고 어두운 층계를 올라가 손님방으로 안내하고는 담요를 젖혀 놓고 말했다. "욕실은 저쪽에 있어요, 해미시. 그리고 캐비닛 안에 일회용 면도기도 있고, 깨끗한 수건이랑 필요한 건 다 있을 거예요. 존이 날아서 올 예정이었거든요. 그 사람 이제 자기 헬리콥터도 있어요. 그런데 사정상 오지 못했어요. 셔츠와 속옷은 문밖에 내놓아요. 내가 세탁해 둘게요. 언제 깨워 줄까요?"

"두 시간만 잘게요." 해미시가 말했다. "아, 프리실라, 오늘밤에 그 빌어먹을 조류 보호 협회 모임인가 뭔가가 있거든요. 브로디 부인에게 내가 대신 참석하겠다고 약속했어요. 글렌베이더 경이 강연을 하기로 되어 있다네요."

"웃기지 좀 마요, 해미시. 그 사람이 조류를 보호한다고요?
자기 접시에 놓인 새고기 말고는 신경도 안 쓰는 사람이에요."

"나도 그가 어떤 인간인지는 알아요. 그렇지만 오늘은 참석
인원이 많지 않을 것 같은 예감이 들어서요. 사람들이 협회니
위원회니 하는 것에 관심을 잃어 가고 있거든요. 당신이 몇 사
람 모아 볼 수 있겠어요?"

"물론이죠. 전화 몇 통화 돌려 볼게요. 자, 이제 눈 좀 붙여요."

프리실라가 밖으로 나가 문을 닫았다. 해미시는 옷을 벗고
속옷과 셔츠를 문밖에 내놓은 후 침대로 올라갔다. 타우저가
주인을 따라 침대로 뛰어올라 가 그의 발치에 몸을 뻗고 누웠
다. "내려가." 해미시가 졸린 목소리로 명령했다. 타우저는 눈
을 휘둥그레 떴지만, 누운 자리에서 움직이지 않았다.

두 시간 후에 프리실라가 깨끗하게 세탁된 옷을 팔에 걸쳐
들고 방으로 들어왔다. 해미시 맥베스 순경은 곤히 잠들어 있
었다. 어이없을 만큼 기다란 그의 속눈썹이 야윈 양 볼 위에
펼쳐져 있었다. 타우저가 눈을 뜨고 게으르게 꼬리를 흔들었
다. 이불은 해미시의 허리께까지 내려와 있었다. '해미시의 몸
이 이 정도로 근육질이었구나.' 프리실라는 그의 맨가슴과 팔
뚝을 바라보며 생각했다. 그의 붉은 머리칼이 새하얀 베갯잇
위에서 불타고 있었다. 잠들어 있는 해미시는 훨씬 젊고 상처

입기 쉬워 보였다. 그가 갑자기 눈을 뜨더니 녹갈색 눈동자로 프리실라를 빤히 바라봤다. 그의 눈 속에 순수한 행복의 빛이 번쩍이다 이내 불이라도 꺼 버린 듯이 사라지고 말았다.

"벌써 두 시간이 지난 겁니까?" 해미시가 끙 소리를 내며 물었다. "온종일이라도 잘 수 있을 것 같아요."

"여기, 당신 옷요." 프리실라가 불쑥 말했다. "그리고 내가 조류 보호 모임에 몇 사람 보내 놨어요. 준비되면 아래층으로 내려와요. 같이 차 한잔해요."

집사 젱킨스에게는 우울한 날이 아닐 수 없었다. 응접실에서 해미시 맥베스에게 차 대접을 하는 것은 그의 영혼을 아프게 했다.

해미시가 경찰서로 돌아가자 지미 앤더슨이 그를 기다리고 있었다.

"드디어 왔군요." 앤더슨이 말했다. "당신이 몰래 도망칠 수 있게 하려고 내가 여기 남아 있는 겁니다."

"아주 편안히 쉬고 있는 것 같네요." 해미시가 말했다. 앤더슨은 사무실 책상에 두 발을 올리고 손에는 위스키 잔을 들고 있었다.

"그래요, 고마워요. 블레어가 브로디라는 여자를 찾아낸 일 때문에 당신에게 있는 대로 화가 났어요. 데이비엇 총경이 나타나서 수색이 어떻게 진행되고 있는지 물었을 때 블레어가

똑똑한 자기 부하 형사 덕분에 브로디 부인을 찾아내게 됐다고 말했거든요. 그리고 막 그 얘기를 총경에게 들려주려고 하는 참에 내 동료 맥내브 형사가 끼어들었죠. 그 친구가 오늘 아침에 블레어에게 심하게 모욕을 당해 기회를 엿보던 참이었거든요. 그가 브로디 부인을 찾아낸 건 맥베스 순경이다, 그가 그녀를 산에서 데리고 내려왔다, 우리는 전부 엉뚱한 곳만 찾아 헤매고 있었다, 이렇게 고해바쳤어요. 블레어 얼굴이 붉으락푸르락했죠. 총경이 당신 공을 몰래 차지하려 했다고 블레어를 비난하자, 블레어는 자긴 그냥 어떻게 작전이 진행됐는지 그걸 설명하려던 거라고 변명하더니 이내 자기가 맥베스 순경을 산으로 올려 보냈다고 말했죠. 그랬더니 맥내브가 '절대 그럴 리가 없습니다. 방금 경감님은 맥베스를 못 봤다고 말씀하셨잖아요'라고 받아쳤어요. 그때 블레어 얼굴을 당신도 봤어야 하는데. 어쨌든 난 더는 그 상황을 보고 있을 수가 없어서 그냥 밖으로 나와 버렸어요. 만약 블레어가 한 달이 지나도록 맥내브를 순찰 임무에서 제외시키지 않는다고 해도 난 전혀 놀라지 않을 겁니다. 블레어는 어디 화풀이할 데가 없어서 다시 파커를 심문하겠다고 나갔어요."

"할버턴스마이스 대령 면담은 어땠어요?" 해미시가 물었다.

앤더슨이 끙 하고 앓는 소리를 냈다. "그 양반 정말 성질머리 한번 고약하대요! '살인범을 찾아 돌아다니기에도 시간이 모자랄 판에 감히 내 시간을 낭비하고 앉아 있는 건가,' 이런 식으로 말을 하더라니까요. 그 외딴집에 갔을 때 토머스 부인이 어떤 물건을 집어 왔느냐고 물었더니, 오래된 도자기와 유리잔, 가구 몇 점, 그리고 상자 하나에 이런저런 잡동사니를 담아 갔다고 뚱하게 대꾸하더라고요. 그리고 그 높으신 양반은 그 여자가 상당히 훌륭한 여자였다고 말하던데요. 확실히 피해자는 자신의 장점을 드러내는 데는 타의 추종을 불허했던 것 같아요. 그 여자가 그렇게 매력 있었나요?"

"딱히 그런 건 아니었어요." 해미시가 말했다. "하지만 매우 개성이 강하긴 했죠. 마을 사람들도 그 여자를 사랑하거나 혐오하거나 둘 중 하나였어요."

"음, 난 이제 가 보는 게 좋겠네요. 블레어에게 괴롭힘당할 각오는 하고 있어야 할 겁니다. 이제 뭐 할 거예요?"

"로럴 민박에 가서 폴 토머스가 어떻게 지내고 있나 살펴보려고요. 난 그 사람이 좋더라고요. 아내의 죽음을 극복하고 나면, 여기 잘 적응해서 살 수 있을 거라고 믿어요."

폴 토머스는 집 뒤쪽에 있는 죽은 나무를 톱질하고 있었다.

"기분은 좀 어때요?" 해미시가 물었다.

"아직도 많이 힘드네요." 폴이 대답했다. "그렇지만 일을 하는 게 도움이 되긴 합니다. 케네디 부인과 그 버릇없는 애들이 떠나가기만 하면 정말 속이 시원할 것 같아요. 트릭시는 저런 사람을 다룰 줄 알았거든요. 그리고 일단 민박이 확실히 자리 잡을 때까지 숙박객은 가리지 말고 받자고 했죠. 그렇지만 저 여자는 끊이지 않고 불평불만을 쏟아 내요. 그런데도 여기서 떠나지 않는 이유는 내가 숙박비를 받기 위해 기운을 낼 여력 이 없기 때문이에요. 숙박비를 받으려면 장을 봐서 음식도 해 줘야 하니까요."

"파커 씨와는 어떻게 지내세요? 그가 아내분의 전 남편이 었다는 사실을 알게 됐잖아요."

"많이 친해졌어요. 실은 그가 정말 큰 도움이 돼 주고 있거 든요. 이해하실지 모르겠지만, 난 아내에 관해 누군가와 얘기 를 나누고 싶어요. 그가 그런 날 이해해 주고 얘기를 들어 주 거든요."

"우리가 브로디 부인을 찾았다는 얘기는 들으셨죠?"

"예, 마을 사람들이 다 알고 있던걸요."

"내가 오늘 브로디 부인을 대신해서 조류 보호 협회 모임에 나갈 예정이에요. 함께 가실래요?"

"고맙지만 됐어요. 그냥 여기서 하던 일 마저 할래요. 사실 난 새에 관해서는 아무것도 몰라요."

그날 저녁, 글렌베이더 경이 강연을 시작했을 때 해미시는 폴도 함께 왔어야 했다고 생각했다. 그러면 새에 관해 아무것 도 모르는 사람이 둘이 되었을 테니 말이다. 확실히 글렌베이더 경은 새에 관해 아무것도 몰랐다. 또한 술에 잔뜩 취해 있었다. 그가 준비해 온 새들의 총천연색 슬라이드는 그가 최근 인도로 다녀온 휴가 사진과 뒤죽박죽으로 섞여 있었지만, 정작 본인은 그 사실을 전혀 모른 채 고개를 푹 숙이고 눈을 감은 상태로 설명을 이어 갔다.

"그리고 이건," 그가 스위치를 누르며 말했다. "커다란 외양간올빼미예요." 청중은 코끼리 위에 타고 있는 그의 모습을 침울하게 바라봤다.

"그 슬라이드가 아닙니다." 해미시가 말했다.

글렌베이더 경이 무거운 눈꺼풀을 들어 올렸다. "그런가? 아, 이런. 올바른 슬라이드를 찾아 주겠나, 순경. 고맙네."

해미시는 절망적인 기분으로 높이 쌓여 있는 슬라이드 더미를 바라봤다. "이걸 다 뒤져 보려면 밤을 새워도 시간이 모자랄 겁니다." 그가 불평했다.

"그럼 자꾸 끼어들지 말게." 글렌베이더 경의 눈꺼풀이 다시 아래로 내리 감겼다. "그리고 이건 흰털발제비라는 겁니다." 그가 불명료하게 웅얼거렸다. 미소 짓는 인도 거지가 한 푼만 달라고 손을 내미는 모습이 나타났다.

프리실라가 커피 주전자를 들고 나타나서 컵에 한 잔을 따라 글렌베이더 경에게 건네주었다. "고마워요. 그리고 여긴 박샛과 새들이 아주 많이 있습니다." 이렇게 말하며 그가 프리실라의 깊이 파인 블라우스를 힐끔거리며 내려다봤고 해미시는 피식 웃음을 터뜨렸다.* 그러나 슬라이드에는 정말 푸른박새 세 마리와 진박새 두 마리가 보였다. 계속해서 슬라이드는 이따금씩 뒤섞여 나왔고, 글렌베이더 경은 가끔 한 번씩 올바른 슬라이드를 설명했다. 청중은 지루해서 어찌할 줄 모르며 가만히 앉아 있었다.

프리실라는 꾸준히 커피를 따라 주었고, 글렌베이더 경의 눈꺼풀도 서서히 올라가기 시작했다. "참 지루하기 짝이 없군요." 그가 100번째 슬라이드를 설명하고 나서 뚱하게 말했다. "좋은 술이나 한잔했으면 좋겠네요."

"저 비닐봉지는 다 뭔가요?" 프리실라가 물었다.

"아, 저거요. 빅토리아조의 조류 박제 표본들입니다. 제 증조부의 수집품이죠. 이쪽에서부터 돌릴 테니 한 사람씩 보세요. 그렇지만 봉지에서 꺼내시면 안 됩니다. 눈으로만 보세요. 손으로 만지면 비소에 중독될 수도 있어요."

"왜 비소죠?" 해미시가 날카롭게 물었다.

"그게 빅토리아 시대 때 해충을 물리치는 방법이었거든." 글렌베이더 경이 말했다. "그게 그 시대의 살충제라고 보면 될 거야. 10년 전에 이 박제들을 유리 진열대에 넣는 일을 했

* 영어의 'tit'이라는 단어는 '박샛과의 새'라는 의미와 '젖가슴' '유두' 등의 의미로 함께 사용된다.

던 남자가 목에서 가래가 끓고 눈에서 눈물이 질질 흐르고 팔
다리에 감각이 없어지는 일이 있었네. 브로디는 감기라고 했
지. 하지만 그는 브로디 말을 믿을 수가 없어서 스트래스베인
에 있는 큰 병원을 찾아갔지. 그랬더니 거기서 박제를 다루다
가 비소에 중독된 거라고 알려 준 거야. 브로디가 멍청이였던
거지."

　고지 청중들은 남녀노소 가리지 않고 아주 정중하게 봉지
안쪽만 들여다보았고, 프리실라가 거대한 찻주전자 옆에 케
이크와 비스킷 접시를 늘어놓자 그날 저녁 처음으로 흥미로
운 표정을 지어 보였다. "적어도 나는 사람들의 흥미를 끌어
냈네." 프리실라가 해미시에게 속삭였다. "글렌베이더 경은
정말 따분하기 그지없는 사람이에요."

　강연을 끝낸 글렌베이더 경은 기분이 상당히 좋지 않아 보
였다. 그의 기분은 차 이외에 도수가 강한 음료는 아무것도 없
다는 사실 때문에, 그리고 오늘 저녁 자신의 강연에 아무런 대
가도 지급되지 않으리라는 사실을 알게 된 탓에 더욱 안 좋아
졌다. 의도와는 달리 아무런 대가도 받지 않고 봉사만 하게 됐
다는 사실을 깨닫게 된 영국 귀족의 분노보다 더 무서운 것은
세상 어디에도 없을 터였다. 글렌베이더 경은 오랜 전통을 자
랑하는 탐욕스러운 가문의 후예였다. 그는 자신의 새들을 낚
아채서 가방 안에 쑤셔 넣고 밖으로 나가 뒤로 쾅 하고 문을

닫았다.

"차 따르는 것 좀 도와줘요, 해미시." 프리실라가 말했다. "왜 그렇게 멍하게 있어요? 무슨 생각 하는데요?"

"비소 생각이오." 이렇게 말하면서도 해미시는 프리실라 곁으로 다가가 무거운 찻주전자를 그녀의 손에서 받아 들었다.

그때 데이비엇 총경이 안으로 들어왔다. "난 스트래스베인으로 돌아가네." 그가 해미시에게 말했다. "브로디 부인을 찾아낸 거 축하하네."

"운이 좋았던 겁니다." 해미시가 말했다.

"스트래스베인에도 자네처럼 능력 있는 경찰이 몇 명만 있으면 좋을 텐데." 데이비엇 총경이 말했다.

해미시가 뭔가 말을 하기 위해 입을 열었지만, 프리실라가 먼저 열정적으로 대답했다. "그래도 해미시 맥베스보다 더 나은 경찰은 찾으실 수 없을 거예요, 데이비엇 총경님. 이 사람은 범죄 사건을 해결하는 데는 천재거든요."

"그래, 이번 사건도 자네가 해결해 보게나." 데이비엇 총경이 말하고는 손을 흔들어 작별을 고했다.

"당신이 내 대변인이라도 되는 것처럼 말하지 말아 줘요, 프리실라." 해미시가 심술궂게 말했다. "난 로흐두를 떠날 마음 추호도 없어요."

"아니요, 떠나야만 해요, 해미시. 남은 평생을 평범한 순경으로 남아 있으려 해서는 안 된다니까요."

해미시는 한숨을 쉬었다. "날 여기 묶어 두는 게 내 아둔함이나 수줍음 같은 게 아니라는 사실을 언제쯤이나 당신 머리가 받아들일 수 있겠어요? 난 로흐두를 사랑하고, 로흐두 사람들도 좋아하고, 여기에 있는 게 행복해요. 내가 왜 꼭 사회의 통념에 맞춰 로흐두 밖으로 나가 승진을 하고 돈을 벌고 하는 식의 성공을 해야 하는 거죠? 난 성공했어요, 프리실라. 요즘 나처럼 자신의 삶에 만족하고 사는 사람은 거의 없다고요."

"내가 맥베스라는 친구를 오해하고 있었어." 그날 밤 잠자리에 들기 위해 옷을 벗으며 데이비엇 총경이 말했다. "그 친구 정말 똑똑한 것 같아요."

"그렇게 확신해요?" 그의 아내가 헤어롤을 말며 말했다. "할버턴스마이스 대령 부부는 그를 별로 좋아하지 않는 것 같던데요."

"그렇지만 그 사람들 딸은 좋아하잖아요. 그리고 내 생각에 머지않아 둘이 결혼할 것 같아요."

"어머." 그의 아내는 이런 식의 언질은 무척이나 잘 이해했다. "우리도 두 사람을 저녁 식사에 초대해야 하는 거 아니에요?"

"이번 사건부터 해결하고요. 물론 해결이 되기만 한다면요." 그녀의 남편이 침대로 올라가며 말했다.

해미시는 모임이 끝나고 나서 로럴 민박으로 찾아갔다. 폴 토머스가 직접 문을 열어 주었다. "들어오세요. 텔레비전을 보고 있었어요."

해미시는 거실로 들어갔다. 케네디 가족도 텔레비전 앞에 나란히 앉아 있었다. 그들 앞에 있는 탁자 위에는 끈적거리는 케이크 접시가 놓여 있었다. 그들 머리 위쪽 전등에 갈색 파리잡이 끈끈이 하나가 매달려 있었지만, 파리는 한 마리도 붙어 있지 않았다.

위층에서는 존 파커가 바쁘게 타자기를 두드리는 소리가 들려왔다.

"어쩐 일로 오셨어요?" 폴이 케이크를 집어 들어 입안 가득 밀어 넣으며 물었다. 그의 눈은 텔레비전 화면에 못 박혀 있었다. 〈L.A. 로〉*가 방영 중이었다.

"혹시 내가 뭐 해 드릴 게 없을까 궁금해서요." 해미시가 말했다.

폴은 대답하지 않았다. 그가 케이크를 한 조각 더 집어 들더니 케네디 가족 옆에 놓인 의자에 가서 앉았다. 눈은 여전히 화면에 머물러 있었다.

해미시는 이토록 집중해서 텔레비전을 볼 정도면 장례식에

---

*1986~1994년에 방영된 미국 드라마이다.

서 완전히 무너져 내렸던 감정이 대체로 거의 다 회복된 게 틀림없다고 나름대로 단정 지었다.

방 안의 아무도 해미시가 떠나는 것을 알아차리지 못했다.

제8장

쯧! 지금껏 나는 파리를 잡는 것처럼 손쉽게
수없이 많은 끔찍한 짓을 기꺼이 저질러 왔다네.

윌리엄 셰익스피어

해미시는 이언 건의 폐농가 부지를 조사하기 위해 차를 몰
아갔다. 건물의 4분의 3 정도가 무너져 있었는데, 한쪽 끝 부
분이 아직 그대로 서 있어서 2층 건물의 금 간 회반죽 벽에 붙
은 총천연색 벽지 조각이 여전히 눈에 들어왔다.

그는 손전등을 비추며 폐허 속으로 천천히 걸어 들어갔다.
이언이 직접 건물을 부수었다는 증거가 조금이라도 남아 있
다 하더라도 모두 다 무너진 건물 잔해 속에 파묻혀 버렸을 것
같았다.

그때 그의 귀에 가느다란 찍찍 소리가 들렸다. 그는 손전등

을 들어 올려 아직 얼마 남아 있는 위쪽 서까래를 비추었다. 깃털로 둘러싸인 작은 몸뚱이들이 천장에 거꾸로 매달려 있었다.

박쥐다.

그 순간 엔진 소리가 들려왔다. 해미시는 손전등을 끄고 밖으로 걸어 나갔다. 이언 건이 불도저를 몰고 다가오고 있었다. 해미시는 짜증이 났다. 이언에게는 확실히 허가를 받기 전까지 불도저로 건물을 밀어 버릴 권한이 없었다. 순경은 앞으로 걸어 나가면서 한 손을 들어 올렸다. 그러자 그날, 여자들이 반대 시위를 시작하던 그날의 장면들이 생생하게 떠올랐다. 여자들의 우두머리 역할을 하던(아니, 아마존 여인들의 우두머리였던가?) 트릭시의 모습이 눈앞에 선했다. 그녀의 눈이 흥분으로 반짝이는 것이 보였고, 그녀의 런던 토박이 말씨도 귀에 들리는 것 같았다.

불도저가 서서히 멈춰 섰다.

"더는 움직이지 말아요, 이언." 해미시가 말했다. "저 안에 아직도 박쥐가 남아 있어요. 그리고 어쨌든 허가를 받기 전까지는 건물을 헐어 버리려 해선 안 됩니다."

이언이 멍하고 무표정하게 그를 바라봤다. 그러고는 다시 불도저를 출발시켰다.

"멈춰요!" 해미시가 앞을 막아서며 소리 질렀다.

그러나 불도저는 그를 향해서 계속 움직여 왔다.

해미시는 욕설을 내뱉으며 옆으로 휙 몸을 날렸고, 불도저가 스쳐 지나갈 때 그 위로 뛰어올라 차에 꽂힌 시동 열쇠를 빼 버렸다. 이언 건이 해미시의 얼굴을 주먹으로 쳐서 그의 몸을 밖으로 날려 버렸다.

해미시는 재빨리 바닥에서 일어나 다시 불도저로 뛰어올라가서 이언의 옷깃을 움켜잡고 차량 밖으로 끌어내 얼굴이 바닥에 처박히도록 메다꽂았다. 이언의 입에서 욕설이 폭포처럼 터져 나왔지만 해미시는 들은 척도 하지 않고 무릎으로 그의 등을 누른 채 수갑을 채웠다.

"자, 일어서요." 해미시가 엄하게 말했다.

이언은 고개를 푹 숙인 채 비틀거리며 두 발로 일어섰다. "날 좀 내버려 두게, 해미시." 그가 지친 목소리로 말했다. "때린 건 미안하지만, 자네가 이러는 것도 전부 쓸데없는 짓이라는 거 정말 이해 못 하겠나? 난 더 많은 땅을 원할 뿐이야. 그런데 말도 안 되는 법이 날아다니는 해로운 새 떼 때문에 내가 땅을 가질 수 없도록 막아서고 있다고. 여긴 내 땅이야. 그러니 내가 원하는 대로 할 수 있어야 한다고. 이게 다 그 빌어먹을 토머슨지 뭔지 하는 여자가 쓸데없이 끼어든 탓이라고!"

해미시는 이언을 빤히 바라봤다. 원칙대로라면 그는 이언을 체포해서 경찰관 폭행죄뿐 아니라 이런저런 죄목으로 그

233

를 고발해야 옳았다. 그렇지만 그건 서류를 작성해야 한다는 의미였다. 소송이 진행되리라는 의미이기도 했다. 그렇게 되면 이언은 철창신세를 지게 될 터였다.

"돌아서요." 그가 퉁명스럽게 말했다.

이언의 수갑을 풀어 준 후 해미시는 모자를 벗어 바닥으로 던졌다. 그리고 두 주먹을 불끈 쥐었다.

"자, 덤벼요, 이언. 여기서 우리 둘이 끝장을 봅시다."

이언이 비쩍 마르고 키만 껑충한 해미시의 체격을 눈으로 가늠해 보고는 미소 지었다. "좋네, 해미시, 그렇지만 다쳐도 내 탓은 하지 말라고."

하지만 이언은 해미시를 때리는 게 거의 불가능하다는 사실을 곧 알게 되었다. 순경은 상체를 숙여 이리저리 피하고 춤을 추듯이 가볍게 두 발을 움직이면서 방어하는 이언의 팔 아래로 계속 주먹을 밀어 넣었다. 마침내, 해미시가 말했다. "자, 인제 그만합시다." 그리고 그게 이언이 마지막으로 들은 말이었다. 그 말과 동시에 해미시는 이언의 턱을 향해 강한 주먹을 날렸고, 이언은 10분 동안 의식을 잃었다.

그가 정신을 차렸을 때 해미시는 그의 옆 바닥에 무릎을 꿇고 앉아 있었다. "괜찮아요?" 그가 걱정스러운 표정으로 물었다.

"자네, 정말 주먹 하나는 맵구먼." 농부가 기어들어 가는 목소리로 말했다.

"난 나름대로 법을 집행한 겁니다." 해미시가 유쾌하게 말했다. "이제 박쥐를 내버려 두겠다고 나한테 약속할 수 있겠어요?"

"그래, 약속하겠네."

해미시는 그가 일어서도록 잡아 준 다음 차에 있는 브랜디를 한 잔 따라 주고 불도저에 올라타도록 도와주었다. 그리고 불도저가 부드러운 흙길을 따라 다시 왔던 길로 돌아가는 모습을 지켜보고 서 있었다.

그는 이제 맥고원 부인을 찾아가 혹시 트릭시가 그녀에게서 뭔가 귀중한 물건을 용케 얻어 가지는 않았는지 알아보기로 했다. 어쩌면 이번 살인 사건은 단순히 탐욕 때문에 벌어진 일일지 몰랐다. 즉, 트릭시가 살해당하고도 남을 만큼 귀한 물건을 발견했을지도 모르는 일 아닌가.

그러나 로흐두로 운전해 가는 동안, 그는 자신이 해리 드러먼드의 집을 향해 운전하고 있다는 사실을 깨달았다. 그는 늘 그래 왔듯이 자신의 소란스러운 고지 방식대로 그 집에 들러 대체 무엇 때문에 드러먼드 부인이 해리와, 다시 말해, 주정뱅이 시절의 해리가 아니라 멀쩡하게 재활을 마치고 번듯한 직장까지 잡은 남편 해리와 이혼을 하겠다고 하는 것인지 알아보기로 했다.

드러먼드 부인은 집에 있었다. 푸짐하고 넉넉한 체격에 물들인 금발 머리를 한 부인은 얼굴에는 두껍게 화장을 하고, 뾰로통한 작은 입술에는 흉터처럼 빨간 립스틱을 바르고 있었다. "그 인간이 또 무슨 짓을 저지른 거예요?" 그녀가 문간에 나타난 해미시를 보고 말했다. 해미시는 그녀의 눈 속에 아직은 어느 정도의 희망이 남아 있음을 맹세라도 할 수 있었다.

"해리요? 아무 짓도 안 했어요." 해미시가 말했다. "잠깐 들어가도 될까요?"

그녀는 대답 대신 어깨를 으쓱해 보이고는 앞장서서 거실로 들어가 해미시가 앉을 수 있도록 의자 위에 잔뜩 쌓아 올려놓은 너덜너덜한 여성 잡지를 한쪽으로 치웠다.

방 안에 파리가 윙윙거리며 돌아다니자, 그녀가 스프레이 파리약을 집어 들어 천장을 향해 뿜어 댔다. 해미시는 파리약이 보슬비처럼 뿌옇게 내려오는 곳에 자리 잡고 앉아 물었다. "왜 해리와 이혼하려는 겁니까? 그 친구 정말 좋아 보이던데요. 좋은 직장도 구했잖아요."

그녀가 담배에 불을 붙이고는 크게 한 모금 빨아들였다. "내가 다른 사람과 사랑에 빠졌어요." 그녀가 말했다.

"누구요?"

"크라스크에 사는 버키 그레이엄요."

"버키 그레이엄은 성미도 더러운 주정뱅이잖아요!" 해미시가 소리 질렀다.

"그는 그저 돌봐 줄 누군가가 필요할 뿐이에요." 드러먼드 부인이 도전적으로 말했다. "내가 이혼하는 대로 우린 결혼식을 올릴 예정이에요."

그녀가 내키지 않는 태도로 해미시에게 차 한잔을 권했지만, 해미시는 거절했다. 그는 버키와 결혼하는 게 얼마나 어리석은 일인지 설명하며 드러먼드 부인을 설득하려고 몇 분 정도 더 애를 썼으나 그녀는 오히려 화를 냈다.

"여자들이란!" 해미시는 호수 반대편에 사는 맥고원 부인의 집으로 차를 운전해 가는 동안 혼잣말을 했다.

맥고원 부인의 집은 소나무 숲 가장자리 사람들 눈에 잘 띄지 않는 곳에 자리해 있었다. 해미시는 랜드로버에서 내려 달콤한 솔 향이 배어 있는 공기를 깊이 들이마셨다. 맥고원 부인의 집 안으로 들어가면 늘 그랬듯이 끔찍한 냄새가 코를 찌를 터였다.

"그래, 마침내 자네가 날 만나러 여기까지 찾아왔구먼." 노부인이 문을 열어 주며 말했다.

그녀는 버드나무처럼 허리도 굽고 뒤틀리고 쭈글쭈글했지만 검은 눈동자만은 지성으로 번뜩였다. 해미시는 부인의 작은 응접실로 걸어 들어갔다. 가구와 도자기와 사진으로 넘쳐나는 그곳을 보니 작고한 해거티 부인의 집이 떠올랐다. 환기

되지 않은 집 안에는 사방에 먼지가 쌓였고, 맥고윈 부인의 끔찍한 냄새가 곳곳에 배어 있었다.

"창문 좀 열겠습니다." 해미시가 희망을 품고 말했다.

"그냥 두게. 파리 떼가 들어와서 말이야."

"이미 집 안에 충분히 잡아 두셨는걸요." 해미시가 천장 등에 매달린 파리잡이 끈끈이를 올려다보며 말했다. 끈끈이에는 죽은 파리들이 새까맣게 들러붙어 있었다. "이런 끈끈이는 다들 어디서 구하는 건가요?"

"토머스 부인이 가져다줬네. 그 파키스탄 사람 파텔네 가게에서 샀다고 그러더구먼."

"인도 사람이에요."

"아, 그런가. 이러거나 저러거나 나랑은 상관없네. 하여간 그 여자가 여기 찾아와서는 오존층이 뭔지는 몰라도, 어쨌든 그게 이러니저러니 하며 시작을 해 대더니 이 끈적거리는 걸 붙여 놓는 게 훨씬 낫다고 하면서 그 인도 사람이 어디서 구해 온 거라고 주더군."

"토머스 부인에 관해 좀 여쭤 보고 싶은데, 그녀가 여기 자주 왔었습니까?"

"아, 그래, 자주 찾아왔어."

"뭣 때문에요?"

"내가 너무 안쓰럽다면서 케이크와 스콘을 가져다주곤 하더라고. 그렇지만 난 그 여자가 뭘 노리고 있는지 다 알았지!"

"뭘 노렸나요?" 해미시가 즉시 물었다.

부인이 웰시 드레서* 쪽으로 고갯짓을 했다. "저거."

"저 찬장이오?"

"여자 셋과 남자 하나가 그려진 저 접시."

해미시는 가까이 다가가서 자세히 들여다봤다. 접시의 가장자리는 황금색 띠가 둘려 있었고, 바닥에는 18세기 드레스 차림의 세 여성과 한 명의 조신朝臣이 그려져 있었다. 색상은 매우 아름다웠다.

"돈을 주겠다고 하던가요?" 해미시가 물었다.

"그래, 그러더군." 부인이 웃음을 터뜨리며 대답했다. "5파운드."

"그보다는 훨씬 값어치가 나가는 물건이라는 건 제가 봐도 알겠네요."

"그 여자가 저걸 안 보는 척하면서도 갖고 싶어 안달하는 걸 보고, 우체부 앤디에게 즉석카메라를 가져오라고 부탁해 사진을 찍게 했지. 그리고 그 사진을 글래스고에 있는 미술관에 보내 봤어. 그랬더니 거기서 내게 편지를 보냈더군. 저기 선반에 올려놨으니 한번 보게." 해미시는 먼지가 뽀얗게 앉은

* 윗부분은 선반, 아랫부분은 서랍이나 칸막이로 되어 있는 식기 찬장이다.

편지를 내려 들고 읽기 시작했다. 미술관은 그 접시가 독일 마이센에서 1745년경 제작된 것으로 보이며, 그림은 프랑스 화가 장 앙투안 바토의 작품을 복제한 것으로 보인다는 사실을 부인에게 알려 드릴 수 있게 되어 매우 기쁘게 생각하지만, 확실한 것은 접시를 직접 조사해 봐야만 알 수 있을 것 같다고 적고 있었다.

해미시는 조용히 휘파람을 불었다. "이 사실을 토머스 부인에게 얘기하셨어요?"

"안 했네. 그냥 그 여자가 케이크와 비스킷을 가지고 오게 내버려 두고, 언제라도 그 접시를 내줄 준비가 된 것처럼 은근히 암시만 줬지."

"이걸 내다 팔면 많은 돈을 벌 수 있다는 걸 아시기는 하는 거죠?"

"그래, 알고는 있지만 증손녀에게 유산으로 물려줄 참이네. 팔더라도 그 아이가 팔게 할 거야."

"그럼 토머스 부인은 여기서 아무것도 가져가지 못한 건가요?" 해미시가 물었다.

"하나도 못 가져갔네. 노력이 부족한 건 아니었지만 그렇게 됐어."

해미시는 부인의 건강을 묻고, 그녀를 위해 차 한 주전자를 끓인 후 초콜릿 비스킷 한 꾸러미와 함께 내놓고서 그만 돌아가기 위해 일어섰다. 그는 죽은 파리가 잔뜩 들러붙어 있는 파리 끈끈이를 혐오스러운 표정으로 바라봤다.

"혹시 이거 하나 더 가지고 계시면 제가 바꿔 달아 드릴게요."

"아니, 없어. 그리고 난 그게 별로 마음에 들지 않네. 예전에 쓰던 스프레이가 더 좋아. 그 여자가 몇 개 구해다 준다고 했는데, 파텔네 가게에는 안 판다고 하더라고. 그 집에는 끈끈이밖에는 없었나 봐. 예전 방식은 파리가 들러붙어 있는 게 아니라 냄새를 맡으면 바로 죽어서 떨어지지."

해미시는 평소 느끼던 안도감을 느끼며 부인의 집에서 나와 다시 신선한 공기를 한껏 들이마셨다. 그는 다음으로는 무엇을 할지 생각하며 로흐두로 돌아가기 위해 천천히 차를 몰았다. 그때 도로변에서 뭔가 움직이는 것이 그의 시선을 끌었다. 그의 차를 보자마자 누군가 길옆으로 몸을 숨긴 듯한 느낌이었다.

해미시는 차를 멈추고 밖으로 내려서서 뒤돌아 걸어가기 시작했다. 덤불 속에서 자그마한 엉덩이가 밖으로 쑥 튀어나와 있었다.

"이리 나와." 해미시가 말했다.

작은 형체가 뒷걸음질 치며 밖으로 나왔다. 로럴 민박에 묵고 있는, 눈에 독기를 잔뜩 품은 수전 케네디였다. "난 너희가 오늘 돌아가는 줄로 알고 있었는데." 해미시가 말했다.

"난 안 가요." 아이가 말했다. "난 여기 살고 싶어요."

"음, 그럴 수는 없지. 학교에 다녀야 하잖아. 내가 차 태워서 데려다줄게. 차에 단것도 있어."

"종류가 뭐예요?"

"초콜릿 퍼지."

"좋아요." 아이가 그와 함께 걸어가서 조수석으로 올라탔다. 해미시는 마을 아이들에게 주려고 손쉽게 꺼낼 수 있도록 차에 가지고 다니는 사탕 상자에 손을 집어넣어 작은 봉지 하나를 꺼내 아이에게 주었다.

"나 단거 정말 좋아해요." 아이가 한 번에 두 개를 입에 집어넣으며 말했다. "그어치마 그 사라드처럼 신가카지느 아나요."

"뭐라고?"

아이가 초콜릿을 다 삼키고 다시 말했다. "그렇지만 그 사람들처럼 심각하지는 않아요."

"누구?"

"토머스 부부요. 내가 전에 그 아저씨랑 아줌마가 자기 방에 뭘 숨겨 두고 있는지 얘기해 주려고 했잖아요."

해미시는 미심쩍은 시선으로 아이를 바라봤다. "지금 단 음식에 관해 말하는 거니?"

"그래요. 토머스 아줌마는 남편이 단걸 못 먹게 했어요. 그래서 그 아저씨는 몰래 케이크를 사 와서 상자에 넣어 자기 방 침대 밑에 감춰 두고 먹었어요. 그럼 아줌마는 아저씨가 나갈 때까지 기다렸다가 그 방에 몰래 들어가 그걸 훔쳐서 나왔어요. 그 아줌마는 자기 남편보다 훨씬 욕심쟁이였어요. 아저씨는 만날 나한테 소리를 지르면서 내가 그걸 훔쳐 갔다고 막 뭐라 그랬는데, 아줌마가 초콜릿 바를 주면서 절대로 말하지 말라고 해서 난 그냥 아무 말도 안 했죠."

해미시는 케네디 부인이 다른 아이들과 함께 커다란 캔버스 여행 가방 하나를 들고 서서 기다리는 버스 정류장 앞에 아이를 내려 주었다. 그녀는 사라졌던 자기 아이가 돌아왔음에도 그리 반가워하거나 놀라는 기색이 아니었다. 해미시는 그녀가 자기 아이 중에 하나가 없어졌다는 사실을 인식하고 있기나 했는지 궁금해하면서 로럴 민박으로 차를 몰았다.

폴은 외출하고 없었지만, 위층에서는 타자기 두드리는 소리가 들려왔다. 해미시는 존 파커의 침실로 올라갔다.

"폴은 어디 갔나요?" 그가 작가에게 물었다.

"외출했을걸요."

"혹시 토머스 부인이 단 음식을 좋아했나요?"

존 파커가 웃음을 터뜨렸다. "그녀는 알코올중독자처럼 단 음식에 중독돼 있었어요. 몇 주 정도 술을 끊었다가 어느 날 갑자기 밖으로 나가 고주망태가 되도록 퍼마시는 그런 술꾼 있잖아요, 꼭 그런 식이었다니까요. 폴이 단 음식을 못 먹게 하려고 애쓰면서 자기는 그보다 더 심하게 단 음식을 먹어 댔죠."

"그런데도 살이 안 찌다니 정말 놀라운데요."

"신경질적인 성격 때문에 열량을 다 태워 버렸던 것 같아요."

창문에 파리 한 마리가 붙어 맹렬하게 윙윙거렸다. 해미시는 그것을 쏘아보고 있다가 갑자기 방을 나가 버려서 작가를 놀라게 했다. 그는 아래층으로 내려가 거실로 가서 파리잡이 끈끈이를 가만히 바라봤다. 그러다가 의자를 놓고 올라가 그것을 떼어 냈다. 경찰서로 다시 돌아온 해미시는 자리에 앉아 스트래스베인에 있는 법의학 연구소로 전화를 걸었다. 그가 뭔가에 관해 질문하자, 그들은 자신들이 알아보고 다시 전화를 주겠다고 말했다.

그는 책상에 앉아서 골몰히 생각에 잠겼다. 이 사람 저 사람과 나누었던 대화의 조각들이 존 파커의 방에서 윙윙거리던 파리처럼 그의 머릿속을 끊임없이 맴돌았다.

트릭시는 케이크를 좋아했다. 존 파커가 마약의 수렁에서 빠져나와 자립하고 나자 트릭시는 그를 버리고 떠났다. 드러먼드 부인은 해리가 재활에 성공하자 그와 이혼하기를 원한다. 글렌베이더 경은 비소가 빅토리아 시대의 살충제라고 말했다. 트릭시는 아치 매클레인과 손을 잡았다. 브로디 선생은 트릭시를 죽이는 것에 관한 노래를 불렀다. 앤절라 브로디는 산에서 오스카 와일드의 시구를 인용했다. 존 파커와 『자르의 아마존 여인들』. 맥고원 부인은 트릭시가 스프레이 파리약을 구해다 주기로 약속했다고 말했다. 구식 파리약은 파리가 냄새만 맡아도 죽어서 떨어진다. 죽어서…… 죽어서…… 죽어서. 그렇게 그의 생각은 꼬리에 꼬리를 물었다.

왜 전화가 안 오는 걸까? 어디서 불어오는지 모를 서덜랜드 바람이 거세게 휘몰아치는 소리 외에는 사방이 고요했다.

그때 전화벨이 울렸다. 시끄럽고 날카롭게.

해미시는 신경질적으로 몸을 일으켜 수화기를 집어 들었다. 그리고 열심히 듣고 있다가 천천히 수화기를 내려놓았다. 그의 얼굴은 창백했지만 침착했다. 블레어에게도 이 사실을 알려야 할 터였다. 그러나 한 사람만 체포하면 되는 일이니 혼자 가도 상관없을 듯했다.

그는 로럴 민박으로 가서 타닥거리는 타자기 소리가 들리는 곳으로 걸어갔다. 그리고 문을 열었다.

"폴 토머스는 어디 있습니까?" 그가 물었다.

"바쁘게 어딘가로 가던데요." 작가가 대답했다. "내가 당신이 와서 트릭시의 단 음식 중독에 관해 물어보고 갔다고 말했더니 쏜살같이 밖으로 나가더라고요."

해미시는 방을 뛰쳐나가 층계를 달려 내려갔다. 존 파커는 어깨를 으쓱하고는 다시 하던 일로 돌아갔다.

해미시는 경찰서를 향해 달려가면서 만나는 사람마다 붙잡고 폴의 소재를 물었다. 마을 사람들 말에 따르면 폴은 마을 밖으로 향하고 있었으며, 마지막으로 목격됐을 때는 호수와 바다를 가르며 뻗어 나간 긴 곶을 따라 달리는 중이었다.

곶 위에는 도로라고 할 만한 길이 없었다. 해미시는 더 빠르게 달리기 시작했다. 바람이 그의 옷을 찢어 놓기라도 할 기세로 거세게 불어왔다. 그는 호텔을 빙 돌아가서 긴 곶 위로 올라섰다. 지미 앤더슨이 호텔 창가에 서서 그가 달려가는 모습을 바라보다가 돌아섰다. "무슨 일이 생겼나 봅니다." 그가 안락의자에 웅크리고 앉아 텔레비전을 보는 블레어에게 말했다. "맥베스가 방금 이 앞으로 달려가던데요."

"보나 마나 하천 감시관에게 쫓기고 있을 테지." 블레어가 텔레비전에 시선을 고정한 채 말했다.

곶은 대서양 쪽에 면한 작은 낭떠러지에서 끝이 났다. 짙게 낀 구름 아래쪽, 벼랑 끄트머리에서 해미시는 폴 토머스의 형체를 발견했다. 그는 정신없이 달리던 속도를 늦추고 천천히 그에게로 다가가 곁에 섰다. 아래쪽에서는 차갑고 푸르르며 해초의 검은빛으로 물든 집채 같은 파도가 밀려들어 벼랑에 부딪혔다.

"이러지 말아요." 해미시가 조용히 말했다. "그녀는 이럴 만한 가치도 없는 사람이었어요." 폴이 갑자기 주저앉았고, 해미시도 그 옆 잔디에 함께 앉았다.

"어떻게 알았습니까?" 폴이 물었다.

"내 생각에는 이렇게 된 것 같네요." 해미시가 말을 시작했다. "당신은 트릭시의 도움으로 다시 한 번 일어나 과식하는 습관을 고쳐 가던 중이었을 거예요. 그래서 새로운 삶을 시작하려고 이 마을을 찾아왔겠죠. 당신은 집을 페인트칠한다든가, 정원을 가꾸는 일 같은 걸 좋아해요. 그런데 트릭시는 당신이 그런 일 하는 걸 좋아하지 않았을 뿐 아니라 독립성을 드러내는 것도 싫어했어요. 그렇게 그녀는 당신이 할 일을 빼앗아 자기가 더 잘해 놓음으로써 당신이 독립적인 사람이 되지 못하게끔 했죠. 결국 당신은 남몰래 다시 케이크를 먹기 시작했고, 트릭시가 그걸 알아차리게 됐어요. 그러다가 어느 날 당신은 트릭시가 당신이 케이크 감춰 두는 곳을 알아내고는 거기서 몰래 단걸 훔쳐 가 먹는다는 사실을 알게 됐죠. 하지만 당신은 아내를 사랑했어요. 그러니 뭔가 안 좋은 일이 일어났던 게 분명해요. 사실 트릭시가 꼭 남자만 필요로 한 건 아니었을 거예요. 어쩌면 그녀는 성별에는 전혀 관심이 없었을지도 몰라요. 여자라도 얼마든지 그녀의 관심을 끌었을 테니까요. 그녀는 앤절라 브로디뿐 아니라 이 마을 여자 대부분을 거의 지배하다시피 했어요. 그러니 더는 당신이 필요치 않았겠죠. 어쩌면 그녀는 시간이 흘러 새로움이 시들해지면, 사람들이 그녀가 아니라 당신을 더 좋아하게 될지도 모른다고 생각했을 겁니다.

그래서 당신에게 이혼을 요구했겠죠."

폴 토머스는 아무 말도 하지 않았다. 거대한 파도가 밀려왔고, 바람이 파도 위에서 새하얀 거품을 휩쓸어 갔다.

해미시의 목소리는 낮고 명료했기에 폴은 거센 바람과 파도소리에도 그의 말을 한 마디도 놓치지 않고 다 들을 수 있었다.

"당신은 치통이 있다고 엄살을 떨면서도 치과에는 가지 않겠다고 고집을 부리면 아내가 무슨 일이 있어도 반드시 치과에 가게끔 몰아붙이리라는 사실을 잘 알고 있었어요. 그래서 일부러 몇 주 동안 충치가 심해지게끔 그냥 내버려 뒀을 거예요. 집을 떠나기 전에 당신은 침대 밑 상자에 케이크를 넣어 두었죠. 그러나 그 전에 파리 끈끈이를 꺼냈어요. 트릭시가 해거티 부인의 집에서 가져온 끈끈이였죠. 난 그게 당신 집 거실에 매달려 있는 걸 봤는데, 왜 끈적거리지 않는지 궁금했거든요. 파리 끈끈이에는 비소가 침윤돼 있었죠. 트릭시가 그걸 당신에게 말해 줬을 거예요. 당신은 그걸 물에 담가 두었다가 그물을 증발시켜서 트릭시를 죽일 수 있을 만큼 충분한 양의 비소 결정을 만들어 냈죠. 어쩌면 당신은 빅토리아 시대에 누군가 같은 방법으로 비소 중독을 일으켰던 사건에 관한 글을 읽어 봤을지도 모르겠네요. 스트래스베인의 법의학 연구소에서 내게 그 사실을 말해 줬죠. 나는 지난 세기에 있었던 온갖 종류의 비소 관련 사건을 떠올려 보기 시작했어요. 우선 나폴레옹은 자기 침실 벽지에 칠해져 있던 풀 속의 비소 성분에 중독돼 사망했죠. 비소는 또한 해충을 억제하는 데도 널리 이용됐어요. 어쨌든 트릭시는 그 파리 끈끈이 뭉치를 발견했어요. 평범한 사람 같았으면 그게 끈적거리지 않고 매끈거리면 쓸모가 없다고 생각하고 내다 버렸을 겁니다. 하지만 트릭시는 아니었죠. 모든 것엔 나름의 쓸모가 있다고 생각하는 사람이었으니까요. 그녀는 소유욕이 엄청났어요. 어쨌든 트릭시는 오래된 파리 끈끈이에는 비소가 잔뜩 묻어 있다는 사실을 알았고, 당신에게 어디로 치워 놓으라고 했을 겁니다. 어쩌면 그걸 맥고원 부인에게 가져다주려고 생각하고 있었을지도 모르겠네요. 그러다가 한동안 잊어 먹고 있었겠죠. 그렇지만 당신은 아니었어요.

당신은 침대 밑에 놓아 둔 케이크 전부에 비소를 넣었죠. 아니, 하나에만 넣었을지도 모르겠네요. 케네디 부인의 딸이 그걸 실수로라도 먹지 않은 게 정말 놀라운 일이에요. 그렇게 당신은 트릭시를 살해했어요."

"그리고 지금은 나 자신을 죽여 버릴 참이에요." 폴이 소매 끝으로 눈물을 훔치며 말했다. "난 내 삶에서 날 밀어내려 하는 트릭시를 증오했어요. 집은 그녀 명의로 되어 있었어요. 트릭시는 집뿐만 아니라, 그 어떤 것도 내 명의로는 해 주지 않았어요. 그녀를 만나기 전까지 나는 너무도 뚱뚱했고 극도로 의기소침해 있었어요. 한마디로 끔찍한 삶을 살아가고 있었죠. 아무도 날 신경 쓰지 않았어요. 심지어는 날 낳아 준 어머니도 그랬어요. 그런데 트릭시는 그런 나와 결혼을 하고 내가 계속 식이 조절을 할 수 있게 도와주었어요. 나는 그녀를 위해서라면 무슨 짓이라도 할 각오가 돼 있었죠. 우리는 여기서 행복하게 살 수 있었을 거예요. 나는 그녀가 아치 매클레인과 서로 희롱했다는 얘기를 듣고 웃어넘겨 버렸지만, 트릭시가 날 화나게 하려고 일부러 그랬다는 사실을 모르지 않았어요. 아내는 이미 나와 끝장을 내고 날 파괴해 버리려 준비 중이었죠. 그렇지만 그녀가 죽어 버리자 나는 그 전과 다름없이 형편없는 인간으로 돌아가 버렸어요. 나는 혼자예요. 더는 삶을 지탱해 나갈 수가 없어요, 해미시. 삶 그 자체도 고통이지만, 사람들도 내게는 상처만 돼요. 머지않아 난 과식으로 나 자신을 죽이고 말 거예요."

"이런, 이런. 폴, 교도소가 그 해답이 되지 않을까요?" 해미시가 쾌활하게 말했다. "생각해 봐요. 케이크는 손도 댈 수 없는 곳에 갇혀 있게 될 테잖아요. 운동도 많이 하고, 책도 많이 읽고, 대적해야 할 잔인한 세상도 없고. 값비싼 요양원보다도 훨씬 나을걸요."

내가 정말 이런 말을 내 입으로 하고 있는 거야, 해미시는
어이가 없었다.

"나는 목숨을 부지할 자격도 없는 놈이에요." 폴이 말했다.

"그럴지도 모르죠. 하지만 교도소 생활이 당신이 지은 죄를
속죄하고 있다는 걸 뼈저리게 느끼게끔 해 줄 겁니다. 거긴 규
율이 있잖아요. 아침부터 밤까지 해야 할 일이 정해져 있어요.
그건 그렇고, 대체 무슨 귀신에 씌어서 맥도널드 노인네까지
독살해 버리려고 한 겁니까? 당신은 고지 사람도 아니잖아요.
그 노인이 당신이 한 짓을 정말 알아낼 거라 생각한 거예요?"

"난 트릭시가 그에게 우리 이혼에 관해 얘기했을지도 모른
다고 생각했어요. 그녀는 이혼하기 전 마지막 순간까지도 마
을 사람들의 눈에 완벽한 아내로 비치길 원했거든요. 난 그가
자신이 사건을 해결할 수 있다고 사람들에게 떠들고 다니기
시작했다는 얘기를 들었어요. 그래서 겁을 집어먹었죠."

"당신 정말 나쁜 사람이네요, 폴." 해미시가 엄하게 말했다.
"교도소는 딱 당신 같은 사람을 위한 장소예요. 거기서 잘 돌
봐 줄 겁니다."

"나 면회 와 줄 겁니까?" 폴이 길 잃은 어린아이 같은 목소
리로 물었다.

"그래요, 면회 갈게요. 자, 어서 갑시다. 가서 끝내 버리자고
요. 우선 체포를 공식적인 업무로 만들어야 하니 수갑부터 채

울게요."그리고 해미시는 그 커다란 덩치의 사내를 마치 어린 아이라도 되는 듯이 이끌고 다시 곶을 따라 걸어가 바닷소리에서 멀어지기 시작했다.

데이비엇 총경이 다시 한 번 블레어를 갑작스럽게 방문해서 토머스 부인 독살 사건의 진행 상황에 관해 설명을 요구하고 있을 때, 앤더슨이 자신의 창가 자리에서 미소를 지으며 돌아섰다. "저기 맥베스 순경이 범인을 데리고 오네요."

"밀렵꾼을 잡았대?" 블레어가 자리에서 일어서며 말했다. 속으로는 '신이시여, 제발 맥베스가 살인자를 잡아 온 것이 아니게 해 주십시오. 제발 한 번만 제 소원을 들어주시면, 다시는 욕을 하지 않겠습니다'라고 기도하고 있었다.

맥내브과 앤더슨 형사, 그리고 블레어와 데이비엇 총경까지 모두 창가로 몰려갔다. 해미시가 폴 토머스를 호텔 쪽으로 이끌어 오고 있었다. 오는 내내 순경은 끊임없이 무슨 말인가 했고, 폴 토머스는 눈물을 흘리고 있었다. 해미시가 걸음을 멈추더니 손수건을 꺼내 그의 눈물을 닦아 주고는 코까지 풀게 해 주었다.

"서두르게!" 데이비엇 총경이 말했다. "아래층으로. 결국은 남편이 범인이었군."

모두가 밖으로 달려 나갔을 때, 해미시는 호텔 앞마당에 도착해 있었다. 그리고 블레어가 아닌 데이비엇 총경을 바라보며 말했다. "폴 토머스를 그의 아내 알렉산드라 토머스의 살인범으로 체포했습니다."

"그가 자백했나?" 총경이 물었다.

"그렇습니다." 해미시가 대답했다.

블레어는 크게 안도의 한숨을 내쉬었다. 범인이 제 발로 걸어와서 자기가 살인을 저질렀다고 자백했다면, 사건을 해결하는 데 그리 높은 지능이 필요하지도 않았을 터였다.

"제가 용의자를 스트래스베인으로 데리고 가죠." 블레어가 거만하게 말했다.

"잠깐 기다리게." 데이비엇 총경이 말했다. "안으로 들어가서 무슨 일이 있었는지 얘기해 보게, 해미시."

해미시라니, 블레어는 화가 머리끝까지 치솟는 걸 느꼈다. 총경이 저 녀석을 이름으로 부르다니!

그들은 모두 지배인의 사무실로 걸어 들어갔고, 지배인에게는 잠시만 사무실을 빌려 쓰겠다고 양해를 구했다. 모두 자리에 앉자, 해미시는 데이비엇 총경에게 어떻게, 그리고 왜 살인 사건이 벌어지게 되었는지 설명했다.

그가 말을 마쳤을 때 블레어는 이를 갈고 있었다. 총경이 감탄하는 표정으로 해미시를 바라봤다. 데이비엇 총경이 의자에 웅크리고 앉아 있는 거구의 폴 쪽으로 고개를 돌렸다. "지금 무슨 일이 일어나고 있는지 이해합니까, 토머스 씨? 당신은 아내의 살인범으로 기소될 예정입니다."

"예." 폴이 지친 듯이 대답했다. "난 자살을 하려고 했지만, 해미시가 교도소에 가는 게 내게 훨씬 좋을 거라고 했습니다. 거기서는 아무도 날 해칠 수 없을 테니까요. 나는 스스로 생각이라는 걸 할 줄 몰라요."

블레어가 무슨 말인가 하려고 입을 열었으나 데이비엇 총경이 그에게 번뜩이는 경고의 시선을 보냈다. "그래요, 그래요." 데이비엇 총경이 달래듯이 대꾸했다. "해미시의 말이 옳아요. 이제 우리가 당신의 진술을 받을 겁니다. 앤더슨, 자네가 하도록 하지."

폴이 쓸쓸히 살인 사건을 자백하는 동안 데이비엇 총경이 해미시를 한쪽 옆으로 데리고 갔다. "훌륭하게 해냈군, 해미시. 아내와 내가 오늘 저녁 자네에게 식사를 대접할 수 있는 영광을 누리게 해 주겠나? 우리가 8시까지 이리로 운전해 오도록 하지, 어떤가? 그리고 할버턴스마이스 양에게도 함께하자고 청해 주게."

블레어는 밖으로 나갔다. 그는 충격도 받고 분노하기도 했다. 악몽을 꾸는 것처럼 해미시 맥베스가 자신의 상관이 되는 장면이 눈앞에 어른거렸다.

마침내 해미시는 호텔 밖에 서서 모두가 차를 타고 떠나가는 모습을 지켜봤다. 앤더슨, 블레어, 맥내브, 데이비엇, 그리고 폴이 함께 타고 가는 차가 로흐두 밖으로 긴 언덕을 올라가 작은 장난감 크기만큼 작아질 때까지 그는 바라보고 서 있었다.

그런 다음 그는 경찰서로 천천히 걸어가서 프리실라 할버턴스마이스에게 전화를 걸어 사건이 종결됐음을 알리며 저녁 식사에 초대받은 사실을 전해 주었다.

그날 저녁 블레어는 로흐두 호텔 식당 구석 자리에 앉아 있었다. 더는 화도 나지 않았다. 화를 내기에는 너무 비참했다. 그가 앉아 있는 곳은 어두웠지만, 그럼에도 그는 총경이 자신을 봤다는 사실을 알고 있었다. 데이비엇 씨가 자신의 손님들 쪽으로 돌아서기 전에 그가 있는 쪽으로 무뚝뚝하게 고개를 끄덕여 보였기 때문이다. 이건 불공평해, 블레어는 생각했다. 그는 자신도 모임에 초대받으리라 희망하며 그 자리에 나타난 참이었다.

프리실라 할버턴스마이스는 몸매를 그대로 드러내는 불꽃 같은 색깔의 시폰 드레스를 입고 있었다. 그 옆에는 해미시 맥베스가 턱시도 차림으로 눈부시게 빛을 뿜어내며 앉아 있었고, 블레어는 그가 어느 저택의 영주처럼 보인다고 생각하며 질투심을 느꼈다. 블레어는 해미시의 턱시도가 그해 인버네스에 있는 중고 옷 가게에서 산 것이라는 사실을 알지 못했기에 프리실라가 빌려주었으리라 짐작만 했다.

그러던 중 블레어는 그들의 축제 같던 분위기가 급속히 침울하게 변해 가고 있다는 사실을 알아차렸다. 그는 무슨 일인지 궁금했다.

데이비엇 총경은 로흐두로 운전해 오는 동안 해미시를 스트라스베인으로 불러들이는 일을 아내와 상의했다. "가여운 친구." 데이비엇 총경이 말했다. "그런 먼 촌구석에 처박혀 있는 자기 신세를 한탄하고 있었을 거예요. 그러니 내 제안이 무척이나 기쁠 겁니다."

저녁 식사를 하는 동안 데이비엇 총경은 해미시의 미래를 위해 자신이 어떤 계획을 짜 놓고 있는지 이야기하기 시작했다. 그러나 그 순간 해미시의 표정이 얼마나 비참하게 일그러지는지 총경은 알아차리지 못했다. "물론 그건 더 많은 돈과 진급을 의미하기도 하지." 데이비엇 총경이 기쁘게 말했다. "숙박 시설도 미혼 남성들이 살기에는 굉장히 안락할 걸세. 자네 개는 거기 데리고 들어갈 수 없을 테지만 경찰서 안에 녀석이 지낼 만한 곳을 찾아볼 수 있을 걸세."

"음," 데이비엇 부인이 키득거리며 입을 열었다. "난 해미시가 그리 오랫동안 미혼으로 남아 있을 거라곤 생각지 않아요." 그녀가 팔꿈치로 프리실라의 옆구리를 슬쩍슬쩍 찔러 댔다.

프리실라가 웃음을 터뜨렸다. "해미시와 저는 그냥 좋은 친구 사이예요."

"잠깐 둘이서만 얘기 좀 나눌 수 있을까요, 총경님?" 좀 더 격식을 차린 상황에서 자신의 속내를 총경에게 털어놓는 게 더 낫겠다는 판단하에 해미시가 말했다.

데이비엇 총경은 놀란 눈치였다. 그가 아내를 바라보자, 아내는 윙크를 하며 프리실라를 가리켰다. 총경의 얼굴에서 그늘이 걷혔다. 해미시는 결혼 계획을 상의하고자 하는 게 분명했다.

그들은 함께 휴게실까지 걸어갔다. "저기, 총경님." 해미시가 급하게 이야기를 꺼냈다. "여기에도 경찰이 있어야 하지 않습니까. 저는 이곳에서 하는 일에 완벽하게 만족하고 있습니다. 승진은 하고 싶지 않아요. 도시로 나가 일하고 싶은 마음도 없고요."

"대체 이유가 뭔가?"

"여기에 제 집이 있고, 제 양과 닭과 거위들이 있습니다. 친구와 이웃들도 이곳에 있어요. 저는 정말 행복하게 살고 있습니다."

데이비엇 총경은 신기하다는 표정으로 그를 올려다봤다. "자네 정말 행복한가?"

"한 인간으로 행복할 수 있는 최대치까지 행복합니다."

총경은 진정한 부러움을 느껴 가슴에 심한 아픔까지 느꼈다. "음, 그게 자네가 진정 원하는 거라면 어쩔 수 없지. 마을 경찰서에 정착하려는 자네 의지를 프리실라는 어떻게 생각하는가?"

"프리실라는 저와 결혼하지 않을 겁니다. 우린 그저 친구 사이죠. 사실 그녀는 런던에 연인이 있습니다."

프리실라도 데이비엇 부인에게 해미시가 총경에게 한 말과 거의 같은 말을 하고 있었다. 그녀는 데이비엇 부인의 꼬치꼬치 캐묻는 질문에 불편함을 느끼면서 차갑게 대꾸를 하다가 그 방법도 통하지 않자 건방지게 대하고 있었다. 남자들이 돌아왔을 때 두 여자 다 안도감을 느끼며 고개를 들었다.

그때 데이비엇 부인은 블레어 경감의 존재를 처음으로 알아차렸다. 그녀는 프리실라의 차가운 반응에 속이 쓰리던 참이었다. '블레어는 정말 괜찮은 사람이야.' 데이비엇 부인은 생각했다. 그 말은 블레어라면 무조건 그들 앞에서 굽실거리며 아첨하리라는 사실이 보증된다는 의미였다. "여보." 그녀가 남편을 불렀다. "저기 사람 좋은 블레어 씨가 있네요. 이리와서 우리와 커피 한잔하자고 청하죠."

블레어는 거의 뛰다시피 그들 곁으로 왔다. 데이비엇 총경도 긴장이 풀리기 시작했다. 블레어에게는 사람을 안심시키는 뭔가가 있었다. 그는 한마디로 전형적인 형사였다. 해미시는 특이하고 별나고 사람 기분을 상하게 했다. 솔직히 말해 진심으로 행복하고 만족스러운 삶을 사는 사람과 마주치고 싶은 사람이 세상에 어디 있다는 말인가. 게다가 그가 프리실라 할버트스마이스의 결혼 상대가 아니라면, 더는 그를 사회적으로 동등한 위치에 있는 사람으로 대할 필요가 없었다.

저녁 식사 후에 프리실라와 해미시는 해안가를 따라 걸었다. 프리실라가 어깨에 두른 기다란 하얀색 실크 숄의 술 달린 가장자리가 미풍에 흩날렸다. 곧 바람이 잦아들었고, 하늘에는 별들이 밝게 빛나고 있었다.

"그래서 승진을 거절했군요." 프리실라가 아무런 감정도 담기지 않은 말투로 말했다. "대체 장래 포부가 뭐예요, 해미시?"

"그런 거 없어요." 그가 게으르게 말했다. "집착처럼 웃긴 것도 없죠." 그가 앤절라 브로디와 폴 토머스…… 그리고 자기 자신에 관해 생각하면서 거의 혼잣말을 하듯이 대꾸했다. 얼마 전까지만 해도 그를 사로잡고 있던 프리실라를 향한 지독한 갈망을 다 털어 버린 채로 그녀와 나란히 유유자적 걸어 다닐 수 있다는 사실이 지극히 평화롭게 느껴졌다.

"성공하려고 애쓰는 사람들이라고 다 성공에 집착하는 건 아니에요." 프리실라가 뿌루퉁하게 말했다.

"존 벌링턴처럼요?"

"그래요, 그 사람처럼요. 만약에 모든 사람이 다 해미시 맥베스 같다면 세상이 어떻게 굴러갈 것 같아요?"

"나야 모르죠." 해미시가 온화하게 대꾸했다. "그리고 신경 쓰고 싶지도 않아요. 성공에 모든 걸 쏟아붓는 어리석음에 관해서 사람들에게 잔소리를 하며 돌아다니고 싶은 마음도 없고요. 그것도 어리석은 짓일 테니까요. 야망은 원대하죠. 난 그게 어떤 것일지 궁금해요. 존 벌링턴과는 지금도 연락해요?"

"그럼요. 나도 두 주 후에 돌아갈 거예요. 그가 공항으로 마중 나오기로 했어요."

"그와 결혼할 건가요?"

"모르겠어요. 어쩌면요."

"가여운 프리실라."

"가여운 해미시. 난 당신에게 야심이 없다는 거 안 믿어요. 당신은 그저 폴 토머스처럼 겁쟁이일 뿐이에요. 커다란 바깥세상에 나가기가 두려울 뿐이라고요."

"솔직히 인정할게요. 난 바깥세상이 싫어요." 그가 여전히 평온하고 행복한 목소리로 대답했고, 그 사실이 차츰 프리실라의 신경을 건드리기 시작했다. "당신이 '난 바깥세상이 무서워'라고 생각하면, 정말 그 생각대로 되는 거라고요. 자, 다 왔네요, 집이에요."

경찰서 문에 달린 푸른색 등이 흐드러지게 핀 장미꽃을 내리비추었다. 타우저는 앞발을 문에 올리고 뒷다리로 서 있었다. 프리실라의 차는 경찰서 밖에 주차돼 있었다.

"들어와서 차 한잔하고 갈래요?" 해미시가 제안했다.

프리실라는 잠시 주저했다. "음, 좋아요."

해미시가 커피를 준비하고 작은 브랜디병을 찾아 꺼내 놓는 동안 그녀는 거실에 앉아 있었다. 그는 가만히 선 채 병을 쳐다봤다. 지금 이 순간과 같은 기회가 오기를 희망하면서 브랜디를 사다 놓았다는 사실이 문득 기억났다. 그는 쟁반 위에 컵과 커피 주전자와 유리잔 두 개와 함께 술병을 올려놓고 거실로 운반해 갔다.

"우리 텔레비전 좀 보죠." 해미시가 말했다. "뉴스에 무슨 소식이 나오나 잠깐만 볼게요." 그는 텔레비전을 켜고 나서 프리실라가 커피와 브랜디를 집어 드는 것을 확인한 후 안락의자에 자리 잡고 앉았다.

해미시가 의자에 등을 기대고 뉴스를 보는 동안, 프리실라는 그를 찬찬히 살펴봤다. 그리고 그제야 비로소 그가 야망의 고통에서만 자유로운 것이 아니라, 그녀에게서도 자유롭게 놓여났다는 사실을 충격과 함께 깨달았다. 프리실라는 해미시가 그녀를 사랑했다는 사실조차도 깨닫지 못했었는데, 어느새 그의 사랑은 지나가 버리고 없었다. 그녀는 처음으로 자신이 무엇을 놓쳤는지 깨달았다. 존 때문에 그녀에 대한 사랑을 놓아 버린 것일까? 그녀에게는 상당히 흥미롭게 느껴졌던 그 키스가 혹시 그를 실망하게 한 것일까?

해미시의 눈꺼풀이 감겼다. 그녀는 앞으로 몸을 기울여 그의 손에서 브랜디 잔을 집어 들어 탁자 위에 내려놓았다. 몇 분 후, 그는 곤히 잠이 들었다. 프리실라는 이제 집으로 돌아가야 한다고 느꼈지만, 어쩐 일인지 일어나서 걸어 나갈 의지가 생기지 않았다. 타우저는 그녀의 발치에 누워 코를 골고 있었다. 텔레비전에서는 뉴스가 끝나고 영화 〈카사블랑카〉가 방영 중이었다. 프리실라는 가만히 앉아서 영화를 끝까지 시청했다. 그런 다음 해미시를 깨우지 않으려 조심하며 경찰서를 나와 집으로 향했다.

두 주 후, 해미시는 용기를 내서 브로디 부부를 찾아가 보기로 마음먹었다. 술집에서 의사 선생의 모습을 못 본 지도 한참 됐고, 그가 담배를 끊었다는 소문도 돌고 있었다.

축축하던 날씨도 이제 이른 고지 가을의 도래를 알리면서 찾아온 엷은 서리와 함께 맑고 청명하고 시원하게 바뀌어 있었다. 그는 브로디 부부의 집을 빙 돌아가 부엌문 앞으로 가서 벨을 눌렀다.

"들어와요!" 의사의 목소리였다.

앤절라와 그녀의 남편은 부엌 식탁에 마주 보고 앉아 있었다. 의사 선생은 책을 읽고 있었고, 식탁 위 그의 옆에는 책이 수북이 쌓여 있었다. 그의 아내도 역시 자기 옆에 책 더미를 쌓아 놓고 잼 항아리에 기대 세운 책을 열심히 들여다보는 중이었다. 그들 사이에는 고양이가 치즈 접시에 턱을 받치고 누워 있었다.

"아, 자네군, 해미시." 의사가 말했다. "커피 한 잔 따라서 저기 의자 가지고 이리로 오게나." 앤절라가 고개를 들더니 쑥스러운 듯 미소를 지어 보이고는 책으로 시선을 돌렸다.

해미시는 커피 한 잔을 따라서 자리에 앉았다. "여기 꼭 대학 도서관 같은데요."

"어떻게 보면 그게 맞지." 의사가 말했다. "앤절라가 개방대학에서 이학 학위를 따려고 공부 중이거든. 그리고 나도 나름대로 학업에 매진 중이네. 그동안 내가 시대에 많이 뒤떨어진 것 같아서."

"맞아요, 그러셨어요." 해미시가 말했다. "담배 끊으셨다고 들었어요. 토머스 부인이 선생님께 한 가지는 확실히 도움을 주고 갔네요."

"그 여자 얘기는 입에 올리고 싶지도 않지만," 브로디 선생이 말했다. "어쨌든 이 얘기는 하고 넘어가야겠네. 앤절라가 생각보다 빠르게 회복이 되고 나서 앞으로는 내 아침 식사도 예전 그대로, 그러니까 뭐든지 다 튀겨서 케첩을 듬뿍 뿌려 주는 식으로 계속 차려 주겠다고 하지 않았겠나. 그래서 난 아침을 게걸스럽게 먹었지. 그리고 병원까지 걸어가는데 이상하게 기분도 나쁘고 속도 더부룩하지 않겠나. 어쩌면 내가 뮤즐리와 샐러드에 맛을 들였을지도 모르겠다는 생각이 들더군."
해미시는 의사가 읽고 있는 책의 제목을 흘낏 바라봤다. 『여성과 갱년기 증세』였다.

"그래서 지금이야말로 시대에 발맞춰 나아가기에 가장 좋은 때라는 결론을 내렸네." 브로디 선생이 말했다. "지금 내 머릿속에는 복잡한 문제들이 가득 차 있거든. 예를 들어, 나를 찾아오는 어떤 환자들은 자기들이 특별한 신경안정제를 처방받았다고 생각하지만, 사실 그들이 먹은 건 마그네시아유 알약이거든. 그런데도 지금까지 먹어 본 그 어떤 약보다도 효과가 좋았다고 맹세까지 한단 말이지."

앤절라가 식탁에서 일어섰다. 그녀는 상당히 아름다운 드레스 차림이었고 파마머리도 많이 길어 있었다. 그녀가 허리를 굽혀 책을 한 아름 안아 들더니 말했다. "실례할게요. 보고 싶은 텔레비전 프로그램이 있어서요."

"그럼, 이제 다 괜찮은 거네요." 해미시가 말했다.

"아, 물론이지. 사실 난 앤절라에게 마음의 병이 생길까 봐 걱정했었네. 그런데 무엇 때문에? 고작해야 어떤 어리석은 잉글랜드 아줌마 때문에?"

해미시는 그 어리석은 잉글랜드 아줌마가 적어도 의사가 담배를 끊고 다시 의학 서적으로 돌아가게끔 하는 데는 도움을 주었다고 생각했다.

브로디 부부의 집을 나와서 해미시는 해안가를 천천히 걸어갔다. 하늘은 옅은 초록빛을 띠고 있었고, 샛별이 막 모습을 드러낸 참이었다. 세상의 평화가 해미시 맥베스를 에워싸고 있었다.

해안가를 따라 늘어선 낚싯배들이 바다로 나갈 준비를 하고 있었다. 그쪽으로 가까이 다가가자 매클레인 부인과 아치의 모습이 눈에 들어왔다. 매클레인 부인이 남편에게 포장한 샌드위치와 보온병을 건네주고는 남편의 몸에 팔을 둘러 꼭 껴안아 주었다.

"참 나, 내가 다시는!" 이렇게 투덜대며 해미시는 주머니에 양손을 찔러 넣은 후 나지막이 휘파람을 불기 시작했다. 밤이 조용히 내려앉고 있었고, 까딱이는 전등을 달아맨 작은 낚싯배들이 바다로 나가기 시작했다.

프리실라 할버턴스마이스는 런던 첼시의 로어슬론 거리에 있는 아파트 문을 열었다. 그녀는 몸도 피곤하고 심술도 잔뜩 나 있었다. 존 벌링턴은 인버네스에서 도착하는 비행기 시간에 맞춰 공항에 나타나지 않았다. 그래서 프리실라는 지하철을 타야 했는데, 때마침 지하철이 액턴 외곽에서 고장 나 한 시간이나 멈춰 서 있어야 했다.

프리실라는 문 앞에 깔아 둔 매트 위에서 우편물을 집어 들어 슬로 스퀘어에서 사 온《이브닝 스탠더드》한 부와 함께 부엌으로 가지고 들어갔다.

그녀는 우편물을 뒤적거리다가 누군가 그녀에게 미국 신문 한 부를 보냈다는 사실을 알아차렸다. 그녀는 갈색 봉투를 찢어 열었다. 현재 코네티컷에 사는 친구 피타 벤틀리가《그리니치 타임스》를 보낸 것이었다. 신문 앞쪽에는 '5면을 펼쳐 봐'라는 메모가 적혀 있었다.

프리실라는 5면을 펼쳤다. 해미시 맥베스가 로흐두 경찰서 바깥 장미 덩굴 아래 타우저와 함께 서 있는 사진이 실려 있었다.

기사 제목에는 '이 지역 사업가 칼 스타인버거가 스코틀랜드에서 휴가를 보내는 동안 이 고지 순경의 사진을 찍었다. 〈힐 스트리트 블루스〉*와는 비교도 안 되는 전혀 색다른 경험!'이라고 적혀 있었다.

사진은 총천연색으로 인쇄되어 있었다.

"그 사람들에게 살인 사건에 관해 얘기해 줬나 보네." 이렇게 중얼거리며 그녀는《이브닝 스탠더드》를 펼쳤다. 1면에 실린 존 벌링턴의 얼굴이 그녀를 향해 튀어나올 것만 같았다. 얼굴

---

* 1980년대에 미국 텔레비전에서 8년간 방영된 경찰 드라마이다.

에 괴로운 표정을 지은 채 형사들에게 둘러싸인 모습이었다.

"증권 중개인이자 사교계 명사인 존 벌링턴이 벨그레이비어에 있는 자택에서 내부자 거래 혐의로 체포되었다." 프리실라는 소리 내 읽었다. 전화벨이 울렸고, 그녀는 전화가 있는 곳으로 걸어갔다.

친구 세라 제임스의 목소리가 수화기 저편에서 쩌렁쩌렁 울려왔다. 기사 봤어? 가여운 존에게 너무 가혹한 일 아니니? 수화기 속의 목소리가 쉬지도 않고 무슨 말인가 하는 동안 프리실라는 창밖을 내다봤다. 로어슬론 거리를 지나는 차량이 공기 속으로 매연을 뿜어 대고 있었다. 그녀는 천천히 돌아서서 부엌 식탁에 나란히 놓인 두 신문을 바라봤다. 광분한 존 벌링턴의 얼굴과 맥베스 순경의 행복한 얼굴이 보였다.

10점이 만점이라면 〈해미시 맥베스 순경 시리즈〉는 만점에 10점을 더 받을 만하다.
《버펄로 뉴스》

독자의 마음을 사로잡는 아늑한 코지 미스터리 시리즈…… 마을의 순경과 주민들이 얼마나 현실적으로 그려지는지 머지않아 관광객들이 로흐두 마을을 찾기 시작할지 모른다. 그리고 셜록 홈스의 존재를 믿듯 해미시 맥베스의 존재를 믿게 될 것이다.
《덴버 로키 마운틴 뉴스》

비턴의 작품을 읽는 일은 땅속에 묻힌 보물을 발견하는 것과 비슷한 경험이자…… 진정한 미스터리 대가의 작품을 통해서만 얻을 수 있는 남다른 독서 경험이다.
《북 리스트》

해미시 맥베스는 갈수록 정감 가는 주인공이다. 독자들은 그의 소박한 외면 안에 모든 터무니없는 헛소리를 단번에 뭉개 버리는 기지가 숨어 있음을 깨닫게 될 것이다.
《시카고 선타임스》

터무니없이 엉뚱한 블랙코미디의 대가인 M. C. 비턴의 탐정소설은 미국 내에서는 숭배받는 경지에 이르렀다.
《더 타임스 매거진》

맥베스의 매력은 계속 더해질 뿐…… 재미있고 엉뚱하며 잘 만든 스콘만큼 말랑말랑하다. 이 시리즈의 책이라면 단 한 권도 놓치지 않을 것이다.
《크리스천 사이언스 모니터》

이 시리즈는 진정한 축복이다.
《애틀랜타 저널컨스티튜션》

따뜻하고 아늑한 미스터리를 좋아하는 독자들을 위한 작품. 물론 비턴의 작품에서라면 그 장밋빛 유리잔은 언제나처럼 어두운 빛으로 물든다.
《필라델피아 인콰이어러》

최고급 몰트위스키처럼 풍부하고 따뜻한 맛이 느껴지는 최고의 오락물. 또한 작품의 면면이 중독적이기까지 하다.
《휴스턴 크로니클》

황당하면서도 진심 어리며 지극히 사랑스럽게, 해미시는 달콤하고 만족스러운 성공을 거둔다.
《퍼블리셔스 위클리》

비턴은 스코틀랜드 북부 지방의 아름다운 자연 경관을 그려 내며 간결한 언어로 그 지방의 정취를 포착해 낸다.
《라이브러리 저널》

비턴의 플롯과 인물은 작가가 로흐두 마을의 배경으로 선택한 아름다운 풍광만큼이나 깊은 인상을 남긴다.
《디모인 선데이 레지스터》

스코틀랜드 북부의 그림처럼 아름다운 로흐두 마을을 다시 찾는 일은 언제나 특별한 기쁨이다.
메릴린 스타시오, 《뉴욕 타임스 북 리뷰》

옮긴이 **전행선**

연세대학교 영문학과를 졸업하고 영상 번역가로 일하다가 현재는 출판 전문 번역가로 활동하고 있다.『무뢰한의 죽음』을 비롯해『이니 미니』『사냥꾼』『레프트오버』『지하에서 부는 서늘한 바람』『몽키스 레인코트』『템플기사단의 검』『살인을 부르는 수학 공식』『아스라이 스러지다』『무조건 행복할 것』『내게 힘을 주는 말들』『때로는 나도 미치고 싶다』『윈터스 테일』『존과 조지』『소피』등을 우리말로 옮겼다.

해미시 맥베스 순경 시리즈 04

현모양처의 죽음

초판 1쇄 펴낸날 2016년 10월 31일

지은이 M. C. 비턴
옮긴이 전행선
펴낸이 양숙진

펴낸곳 (주)현대문학
등록번호 제1-452호
주소 06532 서울시 서초구 신반포로 321(잠원동, 미래엔)
전화 02-2017-0280
팩스 02-516-5433
홈페이지 www.hdmh.co.kr

ⓒ 2016, 현대문학

ISBN 978-89-7275-787-0 04840
      978-89-7275-783-2 (세트)

* 책값은 뒤표지에 있습니다.